増補新装版

たった40分で誰でも必ず小説が書ける超ショートショート講座

田丸雅智
ショートショート作家

WAVE出版

たった40分で、
誰でも必ず小説が書ける
超ショートショート講座
〔増補新装版〕

はじめに

こんにちは。ショートショート作家の田丸雅智(たまるまさとも)です。

この本は、原稿用紙1〜3枚程度の短くて不思議な小説「超ショートショート」の書き方をお伝えすることを目的としたものです。

さて、いきなりですが、次の作品を読んでみてください。

「ハサミ車」

空の向こうには神様の世界がある。そこでは、実に500人の神様がいて、じょう気れいぞう庫、足時計など、変なものがたくさんある。その中でも、最新の物はハサミ車だ。ハサミでできた車で、どんなものでも「あっ」と言う間に切りきざんでしまう。

そんなハサミ車を手にした１人の神様は、地上でためしてみることにした。

「よし、スイッチを入れるぞ」

するとハサミ車は、軽快な音をたてて、動き出した。しかし、地上は神様の世界より弱い。地上の世界はまっぷたつにさけてしまったのだ。これにはさすがの神様もあわてて、熱い熱い、とけた岩をさけ目に流しこみ、地上の世界をなおした。

ところが、長い月日のたった今でも、そこは熱く、人間達からは赤道と呼ばれ、鳥や虫たちにも気に入られているという。


（了）


これが超ショートショートの作品例です。この作品は小学６年生の方が書いたものなのですが、ぼくが開催している講座では日々このような作品が次々と生まれています。

ぼくは２０１３年から「ショートショートの書き方講座」と題した講座を、東京を中心に全国各地で行っています。参加者の年齢は幅広く、下はひらがなが書けるようになる小学１年生くらいから、上はシニアの方まで。開催場所もさまざまで、小学校から大学までの学校や、カルチャーセンター、イベントスペース、２０１７年からは更生に活かしてもらうために少年院でも開催していたり、イノベーションを生むための方法として企業などでも開催しており、すべての講座の参加者は2019年の時点で延べ2万人以上となりました。

また、最近では通訳を介しながら英語や中国語で講座を行ったり、2020年にはシンガポールの日本人学校で初の海外での講座も行いました。さらに、講座の内容は2020年度から使用される小学4年生の国語教科書（教育出版）でも採用されています。

講座は、基本的には90分（本書では、ワークにかかる時間のみを合計し「40分」の講座としています）。時間内で、アイデア発想から作品完成までを目指すというもので、どの年代が対象の場合も同じメソッドを使いながら、その場で超ショートショートを1人1作品、実際に書いてもらいます。

この田丸式メソッドの特徴は、「誰でも」必ず書けてしまうということです。

創作経験者の方はもちろんのこと、ふだん文章を書かない方でも、作文が苦手な方でも、小説をあまり読んだことがない方でも、ご安心。90分の講座が終わったときには、自分で書いたオリジナルの作品が目の前に完成しています。

講座で学んでもらうのは、何も小説の書き方だけではありません。ワークを通して、

- **発想力**
- **論理的思考力**
- **コミュニケーション力**
- **文章力**

を磨いてもらうのも、大きな目的です。

これらは社会のさまざまな場面で求められる重要な力ですが、超ショートショートの創作が、これらの力を伸ばすことにも大いに役立つのです。

大変ありがたいことに、講座を開催しているとうれしいお言葉をたくさんいただきます。

小学校では、ふだんは作文が苦手な子が、講座では筆が走って、それどころか止まらなくなり、最後は発表までしてしまうということが頻発（ひんぱつ）し、先生方が驚かれます。

講座の最中、先生に「夏休みの読書感想文の代わりにショートショートの宿題を出してほしい！」と言ってくれた子もいましたし、完成した作品を文学賞へ応募して、見事に受賞された方が何人もいます。友達同士、親子間での会話のきっかけになったという声もよくいただき、とても温かい気持ちになります。

また、大人の方で、受講以来、執筆が病みつきになって毎日作品を書いていると言ってくださった方もいたり、講座を通して会得したメソッドを自分の仕事にも応用し、ストーリーをつくるのが苦痛から快楽へと変わったという方もいます。本当にうれしく、やりがいを感じる瞬間です。

そんな超ショートショート講座の内容をまとめたものが、本書です。

みなさんがこの本を手にとってくださった背景には、さまざまな動機があるかと思います。

- **プロの小説家を目指している方**
- **趣味程度に嗜んでみようかと思っている方**
- **なんとなく、興味本位で手にとってみた方**

まず、その誰もに共通してお伝えしておきたいことがあります。それは本書を通して、とにかく楽しむことを忘れないでください、ということです。

「いまから小説を書いてください」と言われると、ハードルを感じ、不安に思う方も多いと思います。

ですが、どうか、楽しむことを忘れないでください。

創作することは、本当に楽しいものです。

本書によって、書く喜びを、そして書いたものを人に読んでもらう喜びを、実感していただければ本望です。

それから、もうひとつ。作品を書くにあたって、「こうしたほうがいい」「これはしてはいけない」といったような決まりごとは、一切ありません。

また、「こんなのありえない」「こんなの全然おもしろくない」など、自分や人が考えたものを絶対に否定しないということも大切です。

何をやってもＯＫ。自由自在に楽しんだもの勝ち。

そういう気持ちで臨（のぞ）めば発想の幅も一気に広がりますし、何より、物語をつくること自体がとても楽しくなります。ぜひ、頭に置いておいてください。

ルールのない自由な世界を、存分にお楽しみあれ！

目次

第7章 Q&A 137

今回の増補新装版の発刊にあたっては、２０１５年12月刊行当初からの状況の変化や、その後の活動で得た知見を踏まえた加筆修正を行いました。また、本書で紹介させていただく本などについても、２０２０年４月の時点で比較的入手しやすいものへと変更しています。

著者

第1章

ショートショート作家としての、ぼく

ショートショートとの出合い

ぼくは1987年、愛媛県松山市に生まれました。

2011年に『物語のルミナリエ』に「桜」が掲載され作家デビュー。12年には、樹立社ショートショートコンテストで「海酒（うみしゅ）」が最優秀賞受賞。現在はショートショートを専門にした「ショートショート作家」を名乗り、作品の執筆にとどまらず、本書でご紹介する講座やイベントなど、さまざまな活動を行っています。

ぼくがショートショートと最初に出合ったのは、小学2年生のときでした。教科書に、星新一さんの「おみやげ」という作品が載っていて、それを楽しく読んだのがショートショート初体験です。

当時はその1作を読んだだけで終わったのですが、時間が少したった小学6年生のとき、ショートショートと再会します。その背景には、小学生のころ、ぼくが読書を苦手としていたということがありました。

いまでこそ長編小説も大好きなのですが、お恥ずかしい話、当時はろくに本を読んではいませんでした。そんなぼくを見かねた母が勧めてくれたもの。それが、星新一さんの本でした。

「そういえば昔、教科書で読んだなぁ」と思いだし、「短いし、すぐに読めるか」といった軽い気持ちで読みはじめたわけなのですが、すぐにどっぷりとその世界に浸かることに。それ以来、ショートショートばかりを読みあさったものです。

初めてショートショートを自分で書いたのは、高校2年生のとき。暇を持て余し、なんとなくルーズリーフに書きつづったのが、ショートショートでした。

なぜあのとき書いたのが、ほかのものではなくショートショートだったのか、いまでも定かではないのですが、きっとショートショートの本ばかりを読んでいたからでしょう。

それからも、時間ができると作品のようなものを書いてみては、友人に読んでもらったり。その体験を通して、ぼくは、

「小説って、自分も書いていいものなんだ」

「書くって、なんて楽しいことなんだ」

と思うようになっていきました。

本格的に執筆をしはじめたのは、大学に上がってからです。ただ、当初はプロの作家になりたいという気持ちは特に持っていませんでした。

昔から何かをつくることが大好きだったぼくは、何か学業以外に自分の核となるようなことをはじめたいなぁと思い、なんとなく音楽と文学で迷った末に、1人でやりやすいことと、高校時代に少しやってみていたことから、最終的に文学を選択したという経緯(けいい)です。

そのときは、単なる趣味の一環で、という感じでした。

そんなぼくに大きな転機が訪れたのは、大学2年生のころ。星新一さんの後継者である江坂遊さんの作品との出合いが、ぼくの運命を大きく変えることになります。

人情味があり、色鮮やかで圧倒的な世界観。ショートショートでできることは、ほとんど先人たちがやってしまったのだと勝手に思いこんでいたぼくは、大いなる衝撃を受けました。

世の中にこんなショートショートがあったのか、こういう題材がショートショートになるものなのか、それなら、ショートショートはまだまだ無限の可能性を秘めているじゃないか……。

それと同時に、ぼくは自分の目指すべき方向が定まったような感じもしました。

新しい、いまの時代のショートショートに触れることで、書きたいものが次々と内からあふれてきて、創作の幅が爆発的に広がりました。そのころから趣味のレベルを超えた、プロのショートショート作家というものへ憧れるようになっていきます。

物語の世界には、絶対的に正しい答えや、普遍的な法則などはひとつも存在していません。

「こうでなければならない」という決まりもありませんし、「これはやってはいけない」という制限もありません。**すべては自分の思うまま、自由自在でOK。**

ぼくにとってはその自由さが救いとなり、想像力の赴くままに物語づくりに没頭していきました（実際には無意識のうちに自分の中に膨大な「ルール」が存在していて、それにとらわれず自由であることはとても難しいことなのだと、あとになって分かるのですけれど）。

そして、ありがたいことに少しずつさまざまなご縁が広がっていくうちに、やがて、作家の井上雅彦さんから『物語のルミナリエ』という本への寄稿依頼をいただいて、ぼくは念願の作家デビューを果たします。その後は、WEBなどで活動しながら作品を書きため、2014年3月に『夢巻』にて単行本デビュー。以降、さまざまな場所で執筆をさせていただいています。

改めて振り返ってみると、自分はたくさんの方々のお力と幸運に支えられてここまで来たなぁと、つくづく思います。そのすべてに感謝をし、少しでもご恩を返すためにも、いまは執筆活動をがんばらねばと思っています。

それと同時に、創作の喜びを1人でも多くの方に知ってもらいたい。そういう思いのもと、自作の執筆にとどまらず、ショートショートの創作講座や即興ライブなどのイベントも積極的に開催したりしています。

なぜ「小説家」ではなく「ショートショート作家」を名乗るのか？

よく、なぜ「小説家」ではなく、あえて限定的な肩書きである「ショートショート作家」を名乗っているのか、と聞かれることがあります。

またときどき、ショートショートだけに固執せず、もっと長いものも書けばいいのにと言われたりもするのですが、ぼくがショートショートにこだわっているのには、もちろん明確な理由があります。

ショートショートは、主観的にも客観的にも大きな可能性を秘めている。心底、そう思っているのです。

理由のひとつ目、これはぼくが純粋にショートショートという小説スタイルが好きだからということに尽きます。

いまでは長い作品も大好きで長編小説もよく読むのですが、根本的なところで、ぼくはショートショートの持つ独特の魅力に取りつかれてしまったのです。1話、たったの5分程度で読めてしまうにもかかわらず、その一瞬でまったく別の世界へつれていってくれたり、読後も長く余韻が残る。これは、ショートショートならではだと思います。

そして、この醍醐味に魅入られた人、あるいは、いまはまだ知らないだけで潜在的に魅入られる可能性のある人は、必ず一定数は存在するはずだと考えています。ぼくはそれを強く信じ、「ショートショートはここにある」というひとつの旗となるべく、ショートショート作家を名乗っています。

ふたつ目の理由は、客観的に見たときに、ショートショートは大きな市場になりうると考えているからです。

比較的、上のほうの世代の方――かつてショートショートが盛り上がっていた頃をご存知の方の中には、「本はほとんど読まなかったが、ショートショートだけは読んだ」という人がじつに多く存在しています。この「基本的に読書はしないが、短いものなら」という人は、いまも世代を問わず多く存在していると思われます。というより、忙しくて何かと時間がない現代では、そういった人はもっと増えているのではないでしょうか。

その一方で、そんな人たちにいまの小説スタイルがアプローチしきれているかというと、正直、疑問が残ります。そして、ぼくはショートショートならばその人たちに手が届きうるのではと考えています。過去の実績が、何よりの証拠です。

ショートショートを専門に書いて発信し、こういうものがあるのだと知ってもらう。そして、眠っているはずの市場を再び開拓し、さらにはもっともっと広げていきたい。そう考えて、この肩書きのもと活動を行っています。

長い小説とショートショート。ふたつには共通点も多々ありますが、異なる部分もたくさんあります。

たとえるならば、陸上でいう長距離走と短距離走に似ていると、ぼくは思っています。その両方がともに素晴らしい競技であるように、どちらが偉い、どちらがすごい、ということではなく、長い小説もショートショートも、ともに素晴らしいものです。

その上で、ぼくは短距離走を極める道を選んだ、というだけの話なのです。

なぜ小説創作講座を開催するのか?

若手であるにもかかわらず、なぜベテランの方が行うような講座を開催しているのか。

中には、先輩方を差し置いて僭越だと感じられる方もいらっしゃるかもしれませんが、**ぼくは若手だからこそ、このような取り組みを積極的に行っていくべきと考えています。**

大きな目的のひとつは、後進の育成です。

いまの若い世代には、残念ながらショートショートを知らない人がじつに多いのですが、講座の開催によって、そういった人たちにもその存在を広く知ってもらえるようになると考えています。

その中には、ショートショートに興味を持ってくださって、さらには書き手になりたいと思ってくださる人も一定の割合は必ず存在すると思っています。

どのような分野においても、後進の育成というのは分野自体の行く末を左右する極めて重要な問題です。それに若手のうちから取り組んでおくことは、将来の自分にとっても必ずプラスになるはずです。

ぼくは、仲間にも、ライバルにも、後輩作家にも、どんどん出てきてほしいと思っています。そうなることで、ショートショート界全体も盛り上がっていくはずだと信じているからです。

講座を開催するもうひとつの目的は、出版業界全体の活性化です。

ショートショートはほかの小説スタイルと違って短時間で書けてしまうため、作品完成までのハードルが非常に低いです。中でも**原稿用紙1〜3枚程度の超ショートショートは、本当に誰にでも書けます。**

そして、人は一度自分で作品づくりを経験すると、少なくない割合でそのまま読み手側に回ってくれるものです。

つまり、**講座を通して書く楽しみを知ってもらうことが、ショートショートの読み手を増やすことにもつながるのです。**実際に、各地で講座を開催するとその場で本がよく売れたり、学校や図書館で開催すると、ぼくの本に限らず関連本の貸出率が跳ね上がったりするそうです。

また、講座によって増加するのは単にショートショートの読み手だけではなく、小説全般の読み手の増加にもつながりうるのではとも考えています。

ショートショートを入口にして本を読むようになり、そこからもっと長い小説に興味を持つようになり、そちらへ移行していく人が出てくるだろうという考えです。

もちろん、ショートショートから入って、そのままショートショートばかりを読みつづけてくださるのも大歓迎なのですが、そうしてショートショートがきっかけになって、出版業界全体が活性化していくのならば、そんなにうれしいことはありません。

とにもかくにも、ショートショートという小説スタイルを広めたい。

それを目標に、各地で講座を開催しています。

第2章 【講義編】超ショートショートのつくり方

ショートショートの本なのに、前置きがすっかり長くなってしまいました。この章では、原稿用紙1~3枚程度の「超ショートショート」のつくり方について説明したいと思います。（実践編は次章）

ショートショートとは？ 超ショートショートとは？

そもそも、ショートショートとは、いったい何なのでしょう。

じつは、長い間ショートショートの定義はひとつに決まっておらず、いろいろな方が、いろいろな定義を提唱(ていしょう)しているという状況でした。

そんな中、ぼくは現代ショートショートの定義として、次のようなものを提唱しています。

●アイデアと、それを活かした印象的な結末のある物語

作品に何らかの新しいアイデアが含まれているかどうか、さらにはそのアイデアをうまく活用した印象に残る結末になっているかどうかが判断の基準になるということです。実際に、賞などで審査をさせていただく際には、この定義にもとづいて行っています。

ちなみに、ショートショートというと、いわゆる「オチ」に注目が集まることが多いのですが、現代ショートショートでは「オチ」も含んだ「印象的な結末」になっているかを重視します。必ずしも「オチ」がある必要はないということですね（これについては、第7章のQ＆Aでもう少し触れたいと思います）。

一方で、分量については断言が難しく、定義の中ではあえて言及していないのが現状です。なお、ひとつの参考として、ショートショートを扱った文学賞においては、400字詰め原稿用紙換算で5枚～15枚程度以下とされたり、文字数では2000～4000字程度以内とされることが多いです。ですが、有名なショートショート作品の中にはもっと長いものも存在したり、ぼくも自作に1万字近くのものがあったりし、分量については議論の余地がまだまだあります。

さて、ショートショートの定義について触れてきましたが、ここでお伝えしたいことがあります。

それは、**本書においては、定義のことはいったん忘れてしまって大丈夫ということです。**というのが、定義というのは重要である一方で、考えはじめると人によってはがんじがらめになり、身動きがとれなくなってしまう可能性があるからです。そのため、本書においてはこれ以上、「ショートショートとは何なのか」ということや、「自分の書いたものがショートショートであるかどうか」ということは、まったく考えなくて大丈夫です。

とは言いつつも、何らかの基準がなければ、これから作品を書き進めていくにあたってかえって不安になってしまうのも事実だと思います。そこで、乱暴なことを承知しつつ、本書ではショートショートを次のように簡易的に定義しておくことにします。

短くて不思議な物語

これくらい気軽に考えてもOKだという意味合いです（もちろん、先に挙げた定義にもとづけば「アイデア」が重要なのであり、必ずしも「不思議」でなくともよいわけですが、分かりやすくするために、本書では簡易的に「不思議」と思っていただければと思います）。

では、これから実際に書いていただく超ショートショートとはどういうものかと言い

ますと、

- **もっともっと短くて不思議な物語**

そんなふうに思っていただければ、十分です。

繰り返しになりますが、この本で一番重要なのは、とにかく楽しむことです。特に書きはじめて間もないうちは定義についてはあまり深く考えず、また、書いている途中で「これはショートショートじゃないんじゃないか……」などと思ったりせず、リラックスして創作に臨んでいただければと思います。

みなさんにこれから書いてもらう超ショートショートですが、具体例がないと想像しづらいでしょう。たとえば、次のようなものが超ショートショートの例です。

例(1)「発電生物」

電気ウナギの原理を発展させて、自分で発電できる電気タコが開発された。よく、電源コードがたくさん差し込まれていることをタコ足配線と呼ぶが、この電気タコの場合は本当にタコの足を使った配線で、8本足から電気が取れる。ただし、一度にたくさんの電気を使うと熱くなり、ゆでダコになってしまう。

（了）

例(2)「日光傘」

この傘の下に入ると、内側から降りそそぐ春の日差しを浴びることができる。寒い日に日向（ひなた）ぼっこをするのにもってこい。傘の内側を見上げると美しい青空が広がっていて、ときどき飛行機雲が空を横切っているのを目にしたりする。

（了）

例(3)「圧縮水筒」

液体を圧縮し、紙のように薄い状態で持ち運べる水筒。大量の液体が入るので夏場には最高だが、カバンの中で水もれすると大洪水になってしまうのでフタのしめ忘れには注意が必要だ。

例④「SNS国家」

ネット上に数々のバーチャル国家が誕生し、人々は住んでいる場所に縛られず好きな国に所属できるようになった。どの国も無料お試し期間つき、出入国も自由なので、より自分に合った国を選択できる。プレミアム国民になると発言力が増す国があったり、首相が人工知能の国があったり、多種多様でおもしろい。ときどき国民が少なすぎ、他国に友達申請するような国もあったりする。

（了）

いかがでしょうか。まさに、短くて不思議な物語です。このように原稿用紙1枚に満たないようなものでも、立派な小説なのです。

（了）

超ショートショートのつくり方

さて、超ショートショートのイメージがつかめたところで、具体的なつくり方の説明に移っていきます。

◆事前のワーク：制限時間7分

まず、最初にここで事前のワークをしてもらいます。「ワークシート①」（巻末付録参照）を用意し、書きこんでいきましょう。

①名詞を探して書いてみよう：制限時間3分

さっそくですが、例を見ながらワークシートの「名詞を探して書いてみよう」の枠の中に思いつく名詞を記入していってください。枠は全部で20個あります。

もし途中で詰まってしまったら、周囲を眺めてみたり、辞書をめくってみたりしてみましょう。3分程度が目安です。枠をすべて埋められなくても大丈夫です。

②名詞から思いつくことを書いてみよう：制限時間4分

今度はワークシートの「名詞から思いつくことを書いてみよう」の枠に記入してください。例で「太陽」を丸で囲っているように、まず「①」で書いた名詞の中から好きな

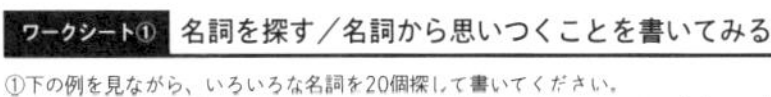

①下の例を見ながら、いろいろな名詞を20個探して書いてください。
②その中から1つだけ名詞を選んで◯をつけ、その名詞から思いつくことを自由に10個書いてください。

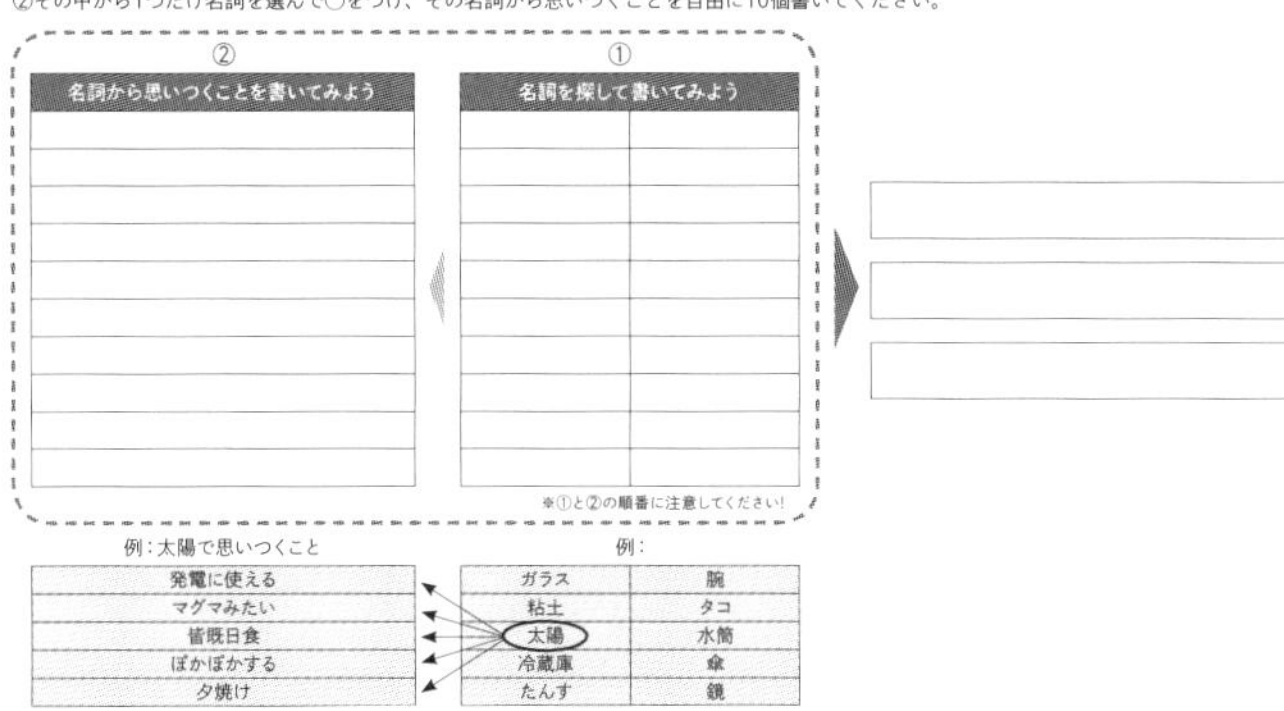

名詞をひとつ選んで丸をつけます。

そして次に、その言葉から思いつく言葉を「②」の枠に記入していきます。このとき、記入する言葉は名詞、形容詞、動詞、副詞など、なんでも構いません。

たとえば、例では「太陽」から思いつくこととして、

- 発電に使える
- マグマみたい
- 皆既日食
- ぽかぽかする
- 夕焼け

を挙げています。選んだ名詞との関連性に縛ら

れる必要はありません。頭に浮かんだことなら、一見無関係に思えることでも、何でも書いてみてください。枠は10個。目安は4分程度です。こちらも、すべて埋まらなくてもOKです。

ここまで終われば、事前のワークは終了です。このワークシートは後ほど使います。

◆3つのステップ

事前のワークはいったん脇に置いておき、超ショートショートをつくるための3つのステップを紹介します。

- ステップ1：不思議な言葉をつくる
- ステップ2：不思議な言葉から想像を広げていく
- ステップ3：想像したことを短い物語にまとめる

この3つのステップを経て、作品の完成を目指します。各ステップを具体的に説明していきます。

① 不思議な言葉をつくる

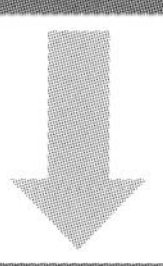

たとえば…
発電に使えるタコ
ぽかぽかする傘

② 不思議な言葉から想像を広げていく

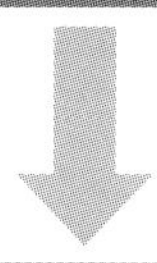

どんな特徴をもったタコ・傘なの ??
どんな良いことが起こるの ??
どんな悪いことが起こるの ??

③ 想像したことを短い物語にまとめる

◆ステップ1：不思議な言葉をつくる

「不思議な言葉」とは、たとえば「発電に使えるタコ」や「ぽかぽかする傘」などといった、日常生活では決して耳にしないような言葉のことです。これをみなさんにも考えてもらいます。

ですが、いきなり考えはじめてくださいと言っても、なかなか難しいと思います。

そこで、田丸式メソッドの登場です。

【左と右を組み合わせて、不思議な言葉をつくる】

事前のワークとしてやっていただいた「ワークシート①」を出してください。このシートを使って、不思議な言葉をつくってもらいます。

その方法については、図を参照しながら説明し

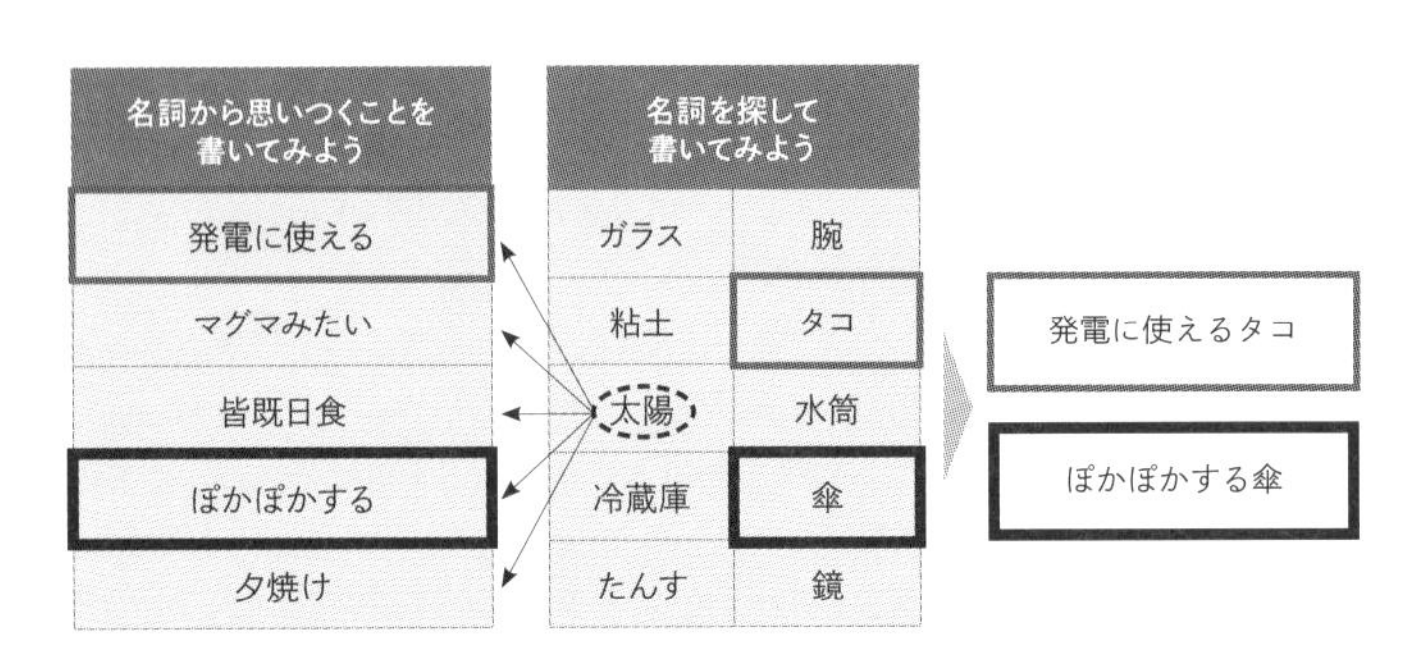

ます。上の図は、ワークシート①の下にある例を抜粋したものです。

まず、「発電に使えるタコ」という不思議な言葉をどうやってつくったかと言うと、細い枠で囲った箇所を見てください。左側の「発電に使える」という言葉と、右側の「タコ」という言葉の2つが組み合わさって「発電に使えるタコ」という不思議な言葉が生みだされていることが分かります。

みなさんにもこのようにしてワークシートの左（＝事前に記入した「名詞から思いつくこと」）と、右（＝同じく記入した「名詞」）を自由自在、あべこべに組み合わせることで、不思議な言葉をつくってもらおうというわけです。

もうひとつの例「ぽかぽかする傘」においても同じです。図の太い枠を見ると、「ぽかぽかする」と「傘」を組み合わせて「ぽかぽかする傘」という不思議な言葉がつくられていることが分かります。こんなふうに、不思議であればどんな言葉でもＯＫです。

後ほど同じ作業によって、みなさんにも不思議な言葉をつくってもらいますが、ここではまだ待ってもらい、先にステップ2、3の説明をしてしまいます。

◆ステップ2：不思議な言葉から想像を広げていく

ステップ2、3では、「ワークシート②」（巻末付録参照）を使います。田丸式メソッドでは、このワークシートの枠を順番に埋めていくだけで、自然と作品ができるような仕組みになっています。

まずは、ステップ1でつくった不思議な言葉の中から、ひとつだけ自分でオススメの言葉を選びます。そしてそれを左上の「選んだ言葉」の枠に記入します。

【それは、どんなモノですか？　説明してください】

2つ目の枠に「それは、どんなモノですか？　説明してください」と書いてあります。

ここに、自分で選んだ不思議な言葉の説明を簡単に書いてください。イラストで描いてもらってもＯＫです。

ワークシート② 不思議な言葉から想像を広げよう

◆選んだ言葉

◆それは、どんなモノですか？　説明してください。空いたスペースにイラストで描いてもOKです。

(8分)

◆それは、どこで、どんなときに、どんな良いことがありますか？

◆それは、どこで、どんなときに、どんな悪いこと、または左で書いたこと以外のどんなことがありますか？

◆上に書いたことをまとめてください。(出たもの全部を使わなくてもOKです)

(20分)

題名：＿＿＿＿＿＿＿＿

一番重要なことは、正解はない、ということです。「こうしたほうがいい」「これはしてはならない」という制限は、一切ありません。想像するまま、自由に書いてください。

そうは言っても、いきなり説明するよう告げられて、戸惑う人が多いと思います。それでいいのです。最初は説明ができなくとも、「どんなものだろう？」「ああでもないこうでもない」と頭を悩ませ、自分に問いかけつづけてあげることで、何らかの手がかりが得られます。

とにかく答えはありませんから、柔軟に、自由に、想像を広げていってください。また、どんなにおもしろくなさそうなことでも、思いついたらすべて書き留めておいてください。

【それは、どこで、どんなときに、どんな良いことがありますか？】

中段の左に「それは、どこで、どんなときに、どんな良いことがありますか？」と書いてあります。

次は、これに答える形で記入していってもらいます。要は、そのモノのメリットを考えてもらうというわけです。

もちろん正解は存在しませんので、自由に発想を広げてください。どんなにくだらないと思うことでも、書いておいてください。


【それは、どこで、どんなときに、どんな悪いこと、または左で書いたこと以外のどんなことがありますか？】

中段の右に「それは、どこで、どんなときに、どんな悪いこと、または左で書いたこと以外のどんなことがありますか？」と書いてあります。

同じく、これに答える形で記入してもらいます。

要は、そのモノのデメリット、もしくは、ほかの意外な特徴・使い方などの「その他」

を考えてもらうというわけです。

できるだけ頭を悩ませて、いろいろな切り口から洗いだしておくと、あとがずいぶんラクになります。

☆「発電に使えるタコ」の例

具体例を見ていきましょう。

【それは、どんなモノですか？　説明してください】

P42の図を見ると、ここでぼくは、

・**電気ウナギの原理を発展させてつくられた、発電できるタコ。**

と書いています。

これはすんなり出たわけではなく、「発電に使えるタコ？　それってどんなものだろう……」と、やはり最初は悩みました。

そして、考えつづけているうちに「待てよ、電気ウナギっていう生き物がいたな。それなら、電気ウナギのタコ版がいたとすれば、それはまさしく『発電に使えるタコ』じゃないか！」と思いつき、このように書いたわけです。

【それは、どこで、どんなときに、どんな良いことがありますか？】

ぼくのワークシートでは、次のように書かれています。

- 家の水槽のなかで電気をたくさん作ることができる。
- タコは足が8本あるので、一度に8個の電源コードをつなげる。

これもいろいろと悩みながら書きましたが、特に2つ目については、頭の中にマルチタップ（差しこみ口がたくさんある電気機器）が思い浮かび、このように書きました。

よく、コンセントにいくつもの電源コードが差さっている状態を「タコ足配線」と呼びますが、このタコから電気をとれば、本当に「タコ足配線」になるなぁなどと考えま

②不思議な言葉から想像を広げる／③想像したことを短い物語にまとめる

◆選んだ言葉

発電に使えるタコ

◆それは、どんなモノですか？　説明してください。空いたスペースにイラストで描いてもOKです。

(8分)

電気ウナギの原理を発展させてつくられた、発電できるタコ。

◆それは、どこで、どんなときに、どんな良いことがありますか？	◆それは、どこで、どんなときに、どんな悪いこと、または左で書いたこと以外のどんなことがありますか？
家の水槽のなかで電気をたくさん作ることができる。 タコは足が8本あるので、一度に8個の電源コードをつなげる。	一度にたくさんの電気を使うと熱くなって、ゆでダコになってしまう。

◆上に書いたことをまとめてください。(出たもの全部を使わなくてもOKです)

(20分)

題名：発電生物

電気ウナギの原理を発展させて、自分で発電できる電気タコが開発された。よく、電源コードがたくさん差し込まれていることをタコ足配線と呼ぶが、この電気タコの場合は本当にタコの足でできた配線で、8本の足から電気が取れる。ただし、一度にたくさんの電気を使うと熱くなり、ゆでダコになってしまう。

した。

【それは、どこで、どんなときに、どんな悪いこと、または左で書いたこと以外のどんなことがありますか？】

今回はデメリットを考え、ぼくは次のように書きました。

・一度にたくさんの電気を使うと熱くなって、ゆでダコになってしまう。

唸(うな)りながら、なんとかひねり出したのですが、この発想のきっかけとなったことがありました。マルチタップの注意書きに「一度にたくさん電気を使うと熱くなり危険」と書かれてあるのですが、それが頭をよぎり、このタコの場合も使い過ぎは禁物だなと考えたわけです。

☆「ぽかぽかする傘」の例

同じく、こちらの例も見ていきましょう。P44の図を見てください。

【それは、どんなモノですか？　説明してください】

傘というのは、ふつうは雨や日光を避けるために使うものですが、「ぽかぽかする」というくらいなので、逆に、この傘を差すと日光を浴びることができたらどうだろうと考え、こう書きました。

この傘の下に入ると、内側から降りそそぐ春の日差しを浴びることができる。

そういう傘があったら、なんだか素敵だなぁと考えました。

②不思議な言葉から想像を広げる／③想像したことを短い物語にまとめる

◆選んだ言葉

ぽかぽかする傘

◆それは、どんなモノですか？　説明してください。空いたスペースにイラストで描いてもOKです。

この傘の下に入ると、内側から降りそそぐ春の日差しを浴びることができる。

(8分)

◆それは、どこで、どんなときに、どんな良いことがありますか？	◆それは、どこで、どんなときに、どんな悪いこと、または左で書いたこと以外のどんなことがありますか？
寒い日に日向ぼっこができる。	傘の内側を見上げると美しい青空が広がっていて、ときどきキレイな飛行機雲が見える。

◆上に書いたことをまとめてください。(出たもの全部を使わなくてもOKです)

(20分)

題名：日光傘

この傘の下に入ると、内側から降りそそぐ春の日差しを浴びることができる。寒い日に日向ぼっこをするのにもってこい。傘の内側を見上げると美しい青空が広がっていて、ときどき飛行機雲が空を横切っているのを目にしたりする。

【それは、どこで、どんなときに、どんな良いことがありますか？】

今回はあまり難しく考えず、シンプルに書きました。

・寒い日に日向ぼっこができる。

日光を浴びることができるなら、そりゃあ日向ぼっこもできるだろうと考えました。

【それは、どこで、どんなときに、どんな悪いこと、または左で書いたこと以外のどんなことがありますか？】

「発電に使えるタコ」の場合はデメリットを

考えましたが、今回はほかの意外な特徴・使い方などの「その他」について考えてみました。

- **傘の内側を見上げると美しい青空が広がっていて、ときどきキレイな飛行機雲が見える。**

この傘は、単に光が降りそそいでくるだけではなく、見上げると本物の青空が広がっているんだ。そしてときどき本物の飛行機が横切ったりしたら、さぞかしキレイだろうなぁ……そんなことを空想しながら書きました。

ちなみに発想の原点には、ＭoＭＡ ＳＴＯＲＥの「スカイアンブレラ」という傘がありました。これは、内側に青空と白い雲がプリントされているとても素敵な傘なのですが、それを知っていたからこそ、こういったことを思いついたのでしょう。

◆ステップ3：想像したことを短い物語にまとめる

これまで書いた内容を「ワークシート②」の一番下の枠にまとめれば、超ショートトショートの完成です。

まとめるにあたっては、ステップ2で書いたものすべてを書く必要はなく、都合のよいものを取捨選択してもらって構いません。作品のタイトルも、自由に考えてください。

Ｐ42、Ｐ44の図では、「発電に使えるタコ」と「ぽかぽかする傘」をまとめたものを書いています。これはまさしく例で挙げていた「発電生物」「日光傘」という作品ですが、この２つの作品は、こうして生まれていたという次第です。

以上で、超ショートショートを書くための３つのステップの説明は終了です。

次章では、時間を計りながら実際に自分の作品を書いていきましょう。

第3章
【実践編】実際に書いてみよう

ワークシートへの記入

ここからは、みなさんに実際に書いてもらうパートです。

ステップごとに時間を計りながら順番にやっていきます。ワークは1人でも可能ですが、ほかの人と一緒に行うと、より楽しむことができるのでオススメです。

ちなみに、**タイマーなどで時間を計りながら書くことは、ひとつの鍵となります。制限時間があることで自分を追いこむことができ、アドレナリンが分泌され、発想がジャンプしやすくなるのです。**

ただし、どのステップにおいても楽しむことが第一ですので、リラックスしてやってみてください。

◆ステップ1：制限時間5分

前章で事前のワークとして書きこんだ「ワークシート①」を出し、「名詞から思いついたこと」と「名詞」を組み合わせて、一番右の枠の中に不思議な言葉を書いてください。

制限時間は、5分です。時間内に3つの枠が埋まっても、余白などに思いつく限り書いていってください。

・どんな言葉を書けばいいのか？

たとえば、「発電に使えるタコ」「ぽかぽかする傘」のような日常的になじみのない言葉、「何だかよく分からないけど、これってヘンだぞ」と感じる言葉が見つかればバンザイです。

ほかにも、

・薄い水筒
・水の粘土
・しゃべる床

などが、例です。

どんなにくだらないことだと思っても、とにかく書くことが大切です。

・書きこんだ言葉を変更したい

ぼくのここまでの説明を聞いて、「そういうワークに使うのなら、書いた言葉を変えたい」「新しく言葉を追加したい」「いい言葉が思いつかないので、例にある言葉を使いたい」など、思われる人もいらっしゃるかと思います。

全部、ＯＫです。やりやすいよう、柔軟に対応してしまってください。

それではスタートです。

◆ステップ2：制限時間8分

不思議な言葉は、いくつできたでしょうか？

ほかの人と一緒にワークをやっている場合は、ステップ2に入る前に、ぜひ周りの人と不思議な言葉を発表し合ってみてください。

発表するのは慣れるまで恥ずかしいかもしれません。ですが、ほかの人が考えた言葉を聞くことで刺激になり、またちがったアイデアが生まれることもありますので、オススメです。

発表が終われば、ステップ2へ移ります。

まず、ステップ1で考えた不思議な言葉の中から、ひとつだけ、「この言葉で書きたい」という言葉を選びます。もし選ぶのに迷ったら、周りの人に意見を聞いてみてください。


ステップ2では、ワークシート②の真ん中の3つの枠、

【それは、どんなモノですか？　説明してください】

【それは、どこで、どんなときに、どんな良いことがありますか？】

【それは、どこで、どんなときに、どんな悪いこと、または左で書いたこと以外のどんなことがありますか？】

を、制限時間8分で埋めてもらいます。どこから書きはじめてもOKです。また、書いたこと同士が矛盾していても大丈夫です。どんどん書いていってください。


もし途中で詰まってしまったり、もっと発想に広がりがほしいと思ったりした場合には、ぜひほかの人にアドバイスを求めてみてください。ちがった視点を取り入れることで、一気に発想が広がっていきます。

また、すぐに枠が埋まってしまった場合も、なるべく制限時間いっぱいまで、「ほかにないか？」といろいろな切り口から考えつづけてみてください。

準備はいいでしょうか？　それでは、スタートしてください。

◆ステップ3：制限時間20分

いよいよ最後のステップです。制限時間20分の中で、ステップ2の内容を取捨選択し、超ショートショートを書いてもらいます。

●どんなものを書けばいいのか？

この質問に対するぼくからのお返事は「どんな物語でも大丈夫です。お好きなように、ぜひ自由に書いてください」ということです。

ただ、もし迷ったら、もちろん例で挙げた超ショートショートを参考にしていただいても構いません。どんなに短くてもOKですし、逆に、物語が膨らめば別紙などにたくさん書いてもらってもOKです。

●参考

もし余裕のある人は、次の例のように物語を長くしてもらってもOKです。

「1」は、これまで例に出てきた「発電生物」とまったく同じものですが、ここで初めて出てくる「2」は「1」を少し膨らませてみたものです。

登場人物の名前などが具体的に書かれていたり、セリフが入っていたりして、みなさんが抱いている「小説」や「物語」のイメージに、より近いのではないでしょうか。

このように、余裕のある人はどんどん物語を膨らませていってOKです。

ただし、この「2」を読んでしまうと、「ああ、ショートショートと言っても、やっぱりより長いほうがいいんだな」と思ってしまう人もいらっしゃるかと思います。重要なのは、そうではない、ということです。「1」のように簡潔にスパッと終わらせる作品も実際にありますし、逆に「2」のように膨らませたような作品も存在しています。

先ほど、内容も自由にとお伝えしましたが、分量についても、やはり自由ということです。ご自身の書きたい内容、分量の作品を書いてみてください。

1．これまでの「発電生物」

電気ウナギの原理を発展させて、自分で発電できる電気タコが開発された。よく、電源コードがたくさん差し込まれていることをタコ足配線と呼ぶが、この電気タコの場合は本当にタコの足を使った配線で、8本足から電気が取れる。ただし、一度にたくさんの電気を使うと熱くなり、ゆでダコになってしまう。

（了）

2.「1」を少し長くした「発電生物」

友達のヒロキの家に遊びに行ったときのこと。

ぼくはリビングで電気コードがたくさんつながっている不思議な水槽を見つけることになった。ヒロキに聞くと「あの中には電気ウナギをヒントに発明された、ある発電生物が入ってるんだ」と教えてくれる。

よく目をこらすと、そこにはなんとタコがいた。ヒロキは得意げに「これは電気タコと言ってね。ほら、タコ足配線っていう言葉があるだろ？　これは8本の足から電気が取れる、本物のタコ足配線というわけさ」と言う。

そして「でも、とっても便利なタコなんだけど、一度にたくさんの電気を使うのだけはやっちゃダメなんだ」と言うヒロキにぼくが理由を聞くと、彼は一言、こう口にする。

「熱くなって、真っ赤なゆでダコになっちゃうんだよ」


（了）

それでは、制限時間は20分。楽しみながら、書いてください。

回し読み・発表

無事に作品はできたでしょうか。

ほかの人と一緒にやっている場合は、できた作品の回し読みをしたり、発表し合ったりしてみてください。ひとりでワークをしている場合でも、ぜひ、家族や友人など、身近な人に読んでもらってみてください。

自分では「おもしろくないんじゃないかな」と不安に思っても、まずは勇気をもって人に読んでもらうことが大切です。

小説は、誰かに読んでもらって初めて完成を迎えるものです。人から感想をもらうことは創作の醍醐味でもありますので、恐れずに読んでみてもらってくださいね。
みなさんにやってもらうワークは、以上です。
お疲れさまでした！

第4章　まとめと応用

まとめ

作品を自分で書いてみて、どうだったでしょうか。

ぼくのふだんの講座では、ワークを終えて「疲れた！」とおっしゃる人がとても多いのですが、みなさんの中にも疲労感を覚えている人が多いのではと思います。

じつはこの疲労感は、単なる疲れではなく、とても意味のあるものです。

ショートショートの創作においては、アイデアを考える発想力と、考えたことをまとめていく論理的思考力の2つの力が同時に問われます。言い換えると、発想を司る右脳と論理を司る左脳が、ワークをしているあいだフル回転していたというわけで、脳が疲れるのは当たり前です。**疲れた分だけ、ふだん使っていなかった脳が活性化したという証ですから、とても良いことですね。**

このように、ショートショートの創作は脳のトレーニングにも大いに役立つことがお分かりいただけたかと思います。いろいろな力を磨くために、ぜひ小説家を目指している人に留まらず、子供からシニアまで、あらゆる人に引きつづき創作をしていってほしいなと思います。

超ショートショートを膨らませるためのアドバイス

ここでは、みなさんに書いてもらった超ショートショートを膨らませて、もう少し長い「ショートショート」へと仕上げていくための、簡単なアドバイスを書きたいと思います。

◆設定を考える

物語を書く上では、「設定」を考えることが大切です。

設定とは、たとえば、

- **主人公は？**
- **ほかの登場人物は？**
- **どこで起こったの？**

いつ起こったの？

というような、物語の前提となる要素のことですが、物語を書きはじめる前にあらかじめこれを決めておくと、物語はおのずと膨らんでいきます。

前章で超ショートショート「発電生物」を長くした作品を掲載しましたが、それを今一度、見てみましょう。

「発電生物」（少し膨らませたもの）

友達のヒロキの家に遊びに行ったときのこと。

ぼくはリビングで電気コードがたくさんつながっている不思議な水槽を見つけることになった。ヒロキに聞くと「あの中には電気ウナギをヒントに発明された、ある発電生物が入ってるんだ」と教えてくれる。

よく目をこらすと、そこにはなんとタコがいた。ヒロキは得意げに「これは電気タコと言ってね。ほら、タコ足配線っていう言葉があるだろ？　これは8本の足から電気が取れる、本物のタコ足配線というわけさ」と言う。

考えるポイント	例	「発電生物」
主人公は?	私、おれ、ぼく 男、女、少年、少女 実業家の鈴木氏、学生の山本くん	ぼく
ほかの登場人物は?	友達、先生、お父さん、お母さん 登場人物は主人公だけ	友達のヒロキ
どこで起こったの?	学校、友達の家 裏山、海辺 宇宙船、火星	友達の家
いつ起こったの?	昨日、ある日 一年前、百年後 夜寝る前、遊びに行ったとき	遊びに行ったとき

そして「でも、とっても便利なタコなんだけど、一度にたくさんの電気を使うのだけはやっちゃダメなんだ」と言うヒロキにぼくが理由を聞くと、彼は一言、こう口にする。

「熱くなって、真っ赤なゆでダコになっちゃうんだよ」

（了）

改めて読み返すと、設定が次のように決められていることが分かります。

- 主人公は？　↓「ぼく」
- ほかの登場人物は？　↓「友達のヒロキ」
- どこで起こったの？　↓「友達の家」
- いつ起こったの？「遊びに行ったとき」

一見すると、とても簡単なことですが、これを事前に決めておくだけでずいぶん書きやすくなります。

その上で、ほかにも登場人物たちのセリフを入れたり、主人公の心の声を入れたり、情景や仕草を描写したりすることで、物語はどんどん膨らんでいきます。

◆物語の筋を考える

もうひとつ、物語を膨らませていく上で大切なのが「物語の筋を考える」ということです。

「物語の筋」とは「プロット」とも呼ばれるものですが、物語がはじまってから終わるまで、どういう展開をたどっていくのか、だいたいの構成を事前に決めておくのです。そうすることで、物語はずいぶん書きやすくなります。

ちなみに筋の型としては「起承転結」「序破急」などが有名です。

具体的な筋のつくり方としては、「ワークシート②」と「設定」で考えたことを元にして、**自分自身に「それから?」「それから?」と次に起こることをどんどん質問して**

いく方法がオススメです。

「それから？」と自分で自分に尋ねることで、無理やり答えなければならない状況をつくりだし、強制的に展開をつくっていくことが可能になります。

穴埋め形式でどんどん展開を書いていくのも、ひとつのやり方です。「発電生物」を例にしたものも巻末の付録に掲載しますので、参考にしてみてください。

◆ショートショートへと発展させた例

考えた「設定」と「筋」を元にして、実際にぼくが超ショートショートからショートショートへと発展させた作品例を掲載します。これまで出てきていた「発電生物」という超ショートショートを膨らませてつくった作品です。ご笑覧ください。

発電生物

田丸雅智

友達のヒロキの家に遊びに行ったときのことだ。

ぼくがリビングでヒロキを待っていると、おかしな光景が飛びこんできた。

それは部屋の隅っこに置かれた水槽だった。どうしてなのか、電気コードが水槽に向かって何本も伸びていたのだった。

ぼくは首をかしげながら、自分の家のことを思い返した。うちにも熱帯魚の水槽はあるけど、あんなコードなんてついてやしない。もちろん家電のコードだって、水槽ではなく壁に向かって伸びている。それじゃあこれは、いったい何が行われているのだろう……。

ヒロキが何かの実験でもしているのかなぁ。ぼくは、そう考えた。ヒロキは理科がとても得意で、いつも家でいろんな実験をやっていると聞いたことがある。ぼくの知らないこともたくさん知っていて、いろいろ教えてくれる。それに、ヒロキのお父さんは大学で最先端の研究をしているらしく、お父さんから聞いた話をおもしろおかしく聞かせてくれたりすることもある。だからこれも、何かの実験なのだろうかと思ったのだった。

「お待たせ」

現れたヒロキに向かって、ぼくはさっそく聞いてみた。

「ねぇ、あの水槽って何の水槽なの？」

するとヒロキは、うれしそうに言った。

「さすが、気がつくのが早いね。じつは、きょう呼んだのはあれと関係してるんだよ。とってもおもしろいものだから、ぜひ見てもらいたくって」

ヒロキがこういうことを言うときは、期待が外れることはない。楽しそうな様子が伝わってきて、なんだかぼくまで楽しくなってきた。

「で、あれは何なの？」

「まあ、お菓子でも食べながら、まずは座ってゆっくり聞いてよ」

言われるままに、ぼくはソファーに腰かけた。すぐにヒロキのお母さんがやってきて、お菓子とジュースを出してくれる。

ヒロキはお菓子を頬張り（ほおばり）ながら、こちらを向いて言った。

「あのさ、いきなりなんだけど、電気ウナギって知ってる？」

きたきた、とワクワクしながらぼくは答える。ヒロキの話は、いつも予想もしないところからはじまるのがパターンだからだ。

「うん、テレビで見たことある。触る（さわる）とビリッとするやつだよね」

ヒロキは満足そうな顔をした。

「じゃあ、電気ウナギがどうやって電気をつくってるかは聞いたことがある？」

ぼくが首を横に振ると、ヒロキは言った。

「電気ウナギはね、身体のなかに電気をつくれる組織を持ってるんだよ」

「へぇぇ……」

「これはお父さんから聞いた話なんだけど、電気ウナギには発電板（はつでんばん）っていう、エネルギーから電気をつくれる細胞があるんだって。ひとつひとつの細胞はとっても小さな電気しかつくれないんだけど、それがたくさんつながると大きな電気をつくれるようになるらしいんだ」

「大きな電気？　それじゃあ……」

とぼくは頭に浮かんだことを口にした。

「その電気で、テレビとか扇風機とかも動くってこと!?」

ものすごい発見をしたような気持ちになって、ぼくの胸は高鳴りはじめた。

「いや、残念ながら、電気ウナギでは無理なんだ。それに、そんなことができるならとっくにみんなやってるよ」

笑うヒロキに、ぼくはちょっとふてくされた。

「どうして無理なのさ」

「身体のなかには大きな電気ができるんだけど、その電気は外にほとんど出ないんだ。いくら電気が大きくたって、取りだせないと使えないでしょ？　だから、テレビをつけることもできないんだよ」

「……意味がわかんないよ」

「そうだなぁ……たとえば、とっても高いところに水の貯まったダムがあると考えてみてよ。その、高いところに水があるっていうことが、大きな電気をつくれるってことと同じ意味ね。で、そこから滝みたいに水を落として、ダムの下にある水車を回そうとするでしょう？」

ヒロキは、いつものようにたとえ話をしはじめた。

「そのとき、一度にたくさんの水が落ちれば水車はよく回るけど、もし水がほんのちょっとしか落ちないと、いくら勢いがあったって水車はぜんぜん回らない。電気ウナギの場合も、そんな感じかなぁ」

「ふぅん……」

「それに、問題はそれだけじゃなくって。電気ウナギの生みだす電気は、ちょっとの間しかもたないんだよ。ダムに貯まった水の量が少なくて、落ちる水が一瞬で切れてしまうようなものだね。だから、もっともっとたくさんの水を、ずっと落としつづけられるようにならないと、テレビをつけられるようにはならないんだ」

ヒロキが言うからには本当にできないんだなぁと、ぼくの気持ちは萎えてしまった。

「でも、それを実現したのがぼくのお父さんさ」

「ええっ⁉」

「お父さんは、電気ウナギの原理を発展させて、電気を生みだす理想の生き物をつくったんだ。遺伝子操作の技術でね」

イデなんとかというのはよく分からなかったけど、とにかくヒロキのお父さんがすごいことをやったのだということは理解できて、ぼくは急に興奮してきた。

「電気ウナギは発電板っていう細胞をたくさんつなげて電気をつくってるって言ったでしょ？　お父さんは、まずその長さを伸ばすことを研究して、実現させたんだ。そうすることで、もっと大きな電気を生みだせる下地を整えた。ダムをより高いところにつくったってことと同じだね。それから今度は、一度に取りだせる電気の量、滝になって落ちる水の量を多くする方法を考えた。答えはとっても簡単さ。長くした発電板を束にすればよかったんだ。滝だって一本一本が細くたって、それがたくさん集まれば太くて力強くなるのと同じことさ」

「……でも、さっきのダムの話だと、ずっと水が流れつづけるようにもしなくちゃいけないんでしょ?」

「そうなんだ。ダムから水を取りだしつづける、つまり電気を生みだしつづけるには、その分だけのエネルギーを常に補給しないといけないんだ。そのエネルギーっていうのは何か……。これも答えは簡単さ。生き物だから、ぼくたちと同じ。食べ物をあげつづけることで、問題は解決したんだよ」

ぼくの頭には、家でのお母さんとのやり取りのことが浮かんできていた。ペットを飼いたいと何度お願いしたって、エサ代がかかるからダメだと言われる。だからぼくは、こんなことを口にした。

「ずっと食べ物をあげつづけるだなんて、すごくお金がかかりそうだねぇ……」

するとヒロキは、いい質問だとばかりに身を乗りだした。

「そこがお父さんのすごいところさ。エサ代はほとんどゼロ。要は、ご飯のあまりとか捨てる部分とか、そういういらなくなったものを、なんでも食べるようにしてしまったんだ。究極の雑食だね」

「ははあ……」

もし本当なら、ゴミ問題の解決にもつながるじゃないかと、ただただ驚きながらぼくは言った。

「それで、その肝心の生き物っていうのはどこにいるの？」

「そこにいるよ」

「えっ!?」

「ほら、あの水槽のなか」

「どこどこ!?」

ぼくは急いで水槽のほうに近づいた。

ドキドキしながら、のぞきこむ。目を大きく見開いて、隅から隅まで探してみた。

でも、そこにあるのは割れた鉢と岩だけだった。

「ねぇ、なんにもいないよ……？　鉢の下にでも隠れてるのかな……それに、なんでコードが岩に呑みこまれてるの？」

ぼくは首をかしげるばかりだった。

「もっとよく見てみなよ」

「どこを？」

「岩みたいに見えてるところさ」

「これのこと？　わっ!!」

ぼくはようやく生き物の姿を見つけて、思わず叫んだ。岩とほとんど同じ色をしていたから、まったく気づかなかったのだった。

「こうしていろんなものに擬態（ぎたい）するから、見つけにくくて」

「それじゃあ、ヒロキのお父さんがつくった生き物っていうのは……」

「そう、タコの遺伝子を操作して生まれた、電気タコさ」

そのときタコがパチッと目を開けて、ぎょろりとこちらをにらみつけた。ぼくはたじろぎながらも食い入るように見つめつづけた。

「電気ウナギの発電板は身体のなかできれいに整列されてるんだけど、電気タコの場合はちょっと事情がちがってて。この風船みたいな胴体に折りたたまれて入ってるんだ。ほら、ぼくらの血管だって伸ばすと地球2周半分くらいの長さになるって言うでしょう？　電気板も、とっても長いからね。それを小さなスペースにうまく収めるには折りたたむのが一番……って、聞いてる？」

ヒロキには悪かったけど、難しい言葉はほとんど耳に入ってなかった。

夢中になって電気タコを観察しつづけていると、水槽のなかの電気コードはタコの足のひとつひとつにつながっていることに気がついた。

ぼくが聞くまでもなく、ヒロキが説明してくれる。

「足のなかには送電線の役目をする神経が伸びていて、胴体で発電した電気が足先の吸盤まで通ってるんだ。だからプラグをその吸盤に差しこむと、タコから電気を引いてこられるってわけさ。ぜんぶで8本。タコの足の分だけ同時に電気を取れる。まさにタコ足配線だね。

いまはまだ研究レベルを出てないけど、いつか量産化して家庭に普及させたり、クラーケンみたいに大型化して本格的な発電所をつくるのが夢だって、お父さんが言ってたよ」

ヒロキのお父さんは本当にすごい人だなぁと、ぼくは尊敬の気持ちでいっぱいになった。

「こんな生き物がいれば、電気なんて使い放題だねぇ……。うちにも1匹いれば、お母さん喜ぶだろうなぁ」

そうなれば、トイレの電気を消し忘れて怒られることもなくなるぞと思った。

想像して浮かれていると、察したようにヒロキがちょうど口を開いた。

「ただし、電気タコにも欠点があってねぇ」

「欠点？」

「こればっかりは注意しないとってことがあるんだよ」

哀（かな）しそうな表情で、ヒロキはつづける。

「このタコも、じつは2匹目で。1匹目は残念だけど、そのせいで死んでしまったんだ」

「どういうこと……？」

「うちの場合は、お母さんが冷蔵庫とレンジ、それからドライヤーなんかまで、まとめて電気タコにつないじゃって。一度にたくさんの電気を使ったものだから、負荷がかかりすぎちゃったんだ。ほら、普通のタコ足配線でも、そういうことをやっちゃダメだって書いてあるでしょ？」

ぼくはうなずく。

「さすがのタコもキャパオーバー。水中だったから火事にはならなかったんだけど、気づいたときには8本の足が熱を持って水槽は沸騰状態さ。急いでコードを引き抜いて、なんとか事態はおさまったんだけどね」

「そのタコは……？」

恐る恐る尋ねると、ヒロキは言った。

「かわいそうに、真っ赤なゆでダコになっちゃってたよ」

（了）

一例として、ぼくはこのような作品へと仕上げてみました。超ショートショートを膨らませるイメージをつかんでいただければ幸いです。

みなさんもぜひ、挑戦してみてください。

2回目以降のワークを楽しむ方法

1回目のワークでやり方がつかめたら、ぜひ2回目以降のワークで挑戦してもらいたいことがあります。

それは、事前のワークで「ワークシート①」の2つの枠を埋めた時点でワークシートをほかの人と交換して、ほかの人の書いた言葉で不思議な言葉をつくる、ということです。

これを聞くと、「ほかの人の言葉からつくるのなんて無理！」と思う人がいらっしゃるかもしれません。実際、ぼくの講座でワークシートの交換を促（うなが）すと、同じような悲鳴があがります。

ですが、恐れずに挑戦してほしいと思います。不思議な言葉は必ず生みだすことができますので、安心してください。

わざわざワークシートを交換する目的は、ほかの人の書いた言葉をきっかけにして、ふだんの自分だったら到底考えつかないようなことを考えたり、頭の奥底で眠っている引きだしを強制的に開いたりすることにあります。

不思議な言葉をつくるのはあくまで自分ですので、最初は戸惑ったとしても、最終的には自身に根差した何かしらの発想は必ず出てくるものです。

むしろ追いこまれた分、いつもとはちがう発想が生まれたりしておもしろいので、ぜひ挑戦してみてください。

このメソッドでは、いったい何が行われていたのか?

アイデアとは既存の要素の新しい組み合わせだと言ったのはジェームス・W・ヤング氏ですが、ほかにもさまざまな方が既存の要素の組み合わせ、特に「言葉」の組み合わせ・掛け合わせによってアイデアを生む方法を提唱していて、メソッドになっているものや、ウェブサービスやアプリになっているものなども多くあります。そんな中、この田丸式メソッドの中でもはじめに言葉の組み合わせを行ったわけなのですが、その組み合わせ方に、ほかとは違うひねりを加えました。

具体的には、たとえば「発電に使えるタコ」という不思議な言葉は、もとをたどれば

「太陽」と「タコ」という2つの要素を組み合わせたものにほかなりません。慣れてくれば、この「太陽」と「タコ」という要素から、いきなり「発電に使えるタコ」というイメージへと飛べたりするようになるのですが、最初のほうは難しい。

そこで、要素の片方だけを分解して（ここでは「太陽」を「発電に使える」という要素に分解）、言葉を組み合わせる作業をやりやすくした、というのが、この田丸式メソッドのエッセンスというわけでした。

ビジネスシーンへの応用

ショートショートの創作がいろいろな力を磨くことにつながることはすでに書きましたが、ビジネスシーンにも応用することが可能です。

たとえば、**考えたことを人に伝える力はコミュニケーション力や文章力の強化に直結しますし、広報の仕事にも通ずるものがあります。また、企画や開発に携わる人は、このメソッドをそのまま仕事に応用することもできます。**

具体的には、「ワークシート①」は革新的なアイデアを考案するために活用できます。

分かりやすい例を挙げれば、自動車や携帯電話、インターネットのような革新的なものは、次のような言葉に置き換えることができます。

- 自動車＝自動の馬車
- 携帯電話＝運べる電話
- インターネット＝つながるパソコン

これらは、いまでこそ当たり前の言葉ですが、ひと昔前には口にすると「そんなのありえない」と笑われてしまうような言葉でした。

あるいは、最近の製品を例に出すと、「消せるボールペン」「羽根のない扇風機」などが挙げられます。これらは現実にあるパイロット社の「フリクション」、ダイソン社の「羽根のない扇風機」のことですが、数年前にはまったく当たり前ではない言葉でした。

このように、今回のメソッドを使ってみなさんに考えてもらった不思議な言葉は、じつは、**未来を切り拓く革新的なアイデアにもなりうるものなのです。**

実際に、ぼくはこの講座の内容を企業向けにアレンジした「ショートショート発想法」というものを、イノベーションを生み出すためのワークショップとして数多く開催しています。これまでに開催させていただいたのは、ＩＴ企業にコンサルティング会社、自動車メーカー、日用品メーカー、化粧品メーカーなど多岐にわたっています。参加者も広報部門から企画部門、研究開発部門までじつに多様で、年齢も若手、ベテラン、経営層とさまざまですが、みなさん創作を通して楽しみながら、イノベーションのヒントを探ってくださっています。

この「ショートショート発想法」のご紹介は別の機会に譲りたいと思いますが、もしご興味があれば、ぜひお気軽に田丸雅智の公式サイトからお問い合わせください。荒唐無稽（こうとうむけい）な物語から、一緒に未来を紡ぎましょう！

もうひとつ、「ワークシート②」は、企画を立てる際などにそのまま応用することができます。Ｐ80の図のように、それぞれの枠を「企画の素」「企画の幹」「企画の枝」「企画の全体像」と置き換えればいいだけです。

こちらも、企画を考えるときに、ぜひ活用してみてください。

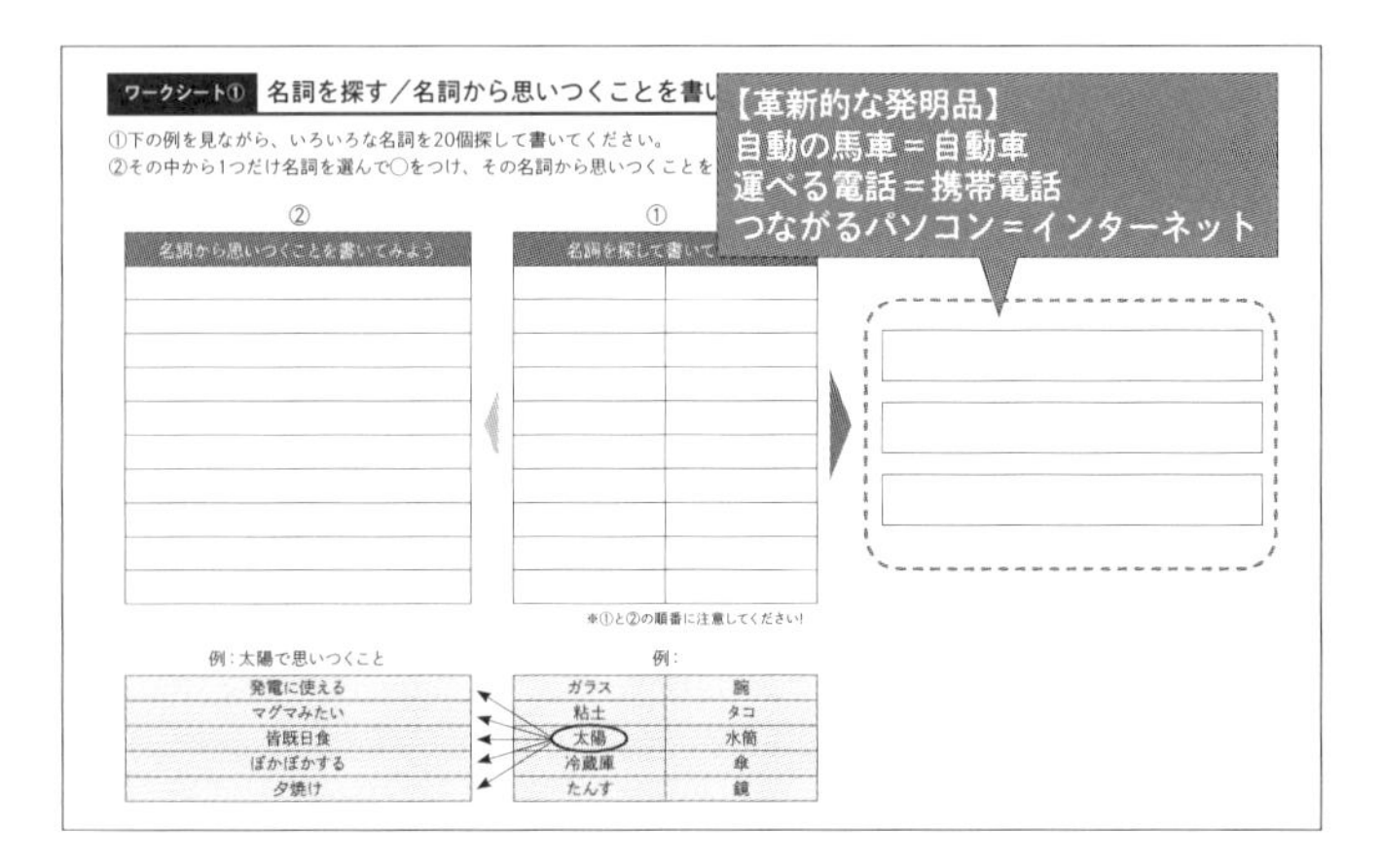
ワークシート① 名詞を探す／名詞から思いつくことを書い
①下の例を見ながら、いろいろな名詞を20個探して書いてください。
②その中から1つだけ名詞を選んで○をつけ、その名詞から思いつくことを
【革新的な発明品】
自動の馬車＝自動車
運べる電話＝携帯電話
つながるパソコン＝インターネット
②
名詞から思いつくことを書いてみよう
①
名詞を探して書いて
※①と②の順番に注意してください！
例：太陽で思いつくこと
発電に使える
マグマみたい
皆既日食
ぽかぽかする
夕焼け
例：
ガラス
腕
粘土
タコ
太陽
水筒
冷蔵庫
傘
たんす
鏡

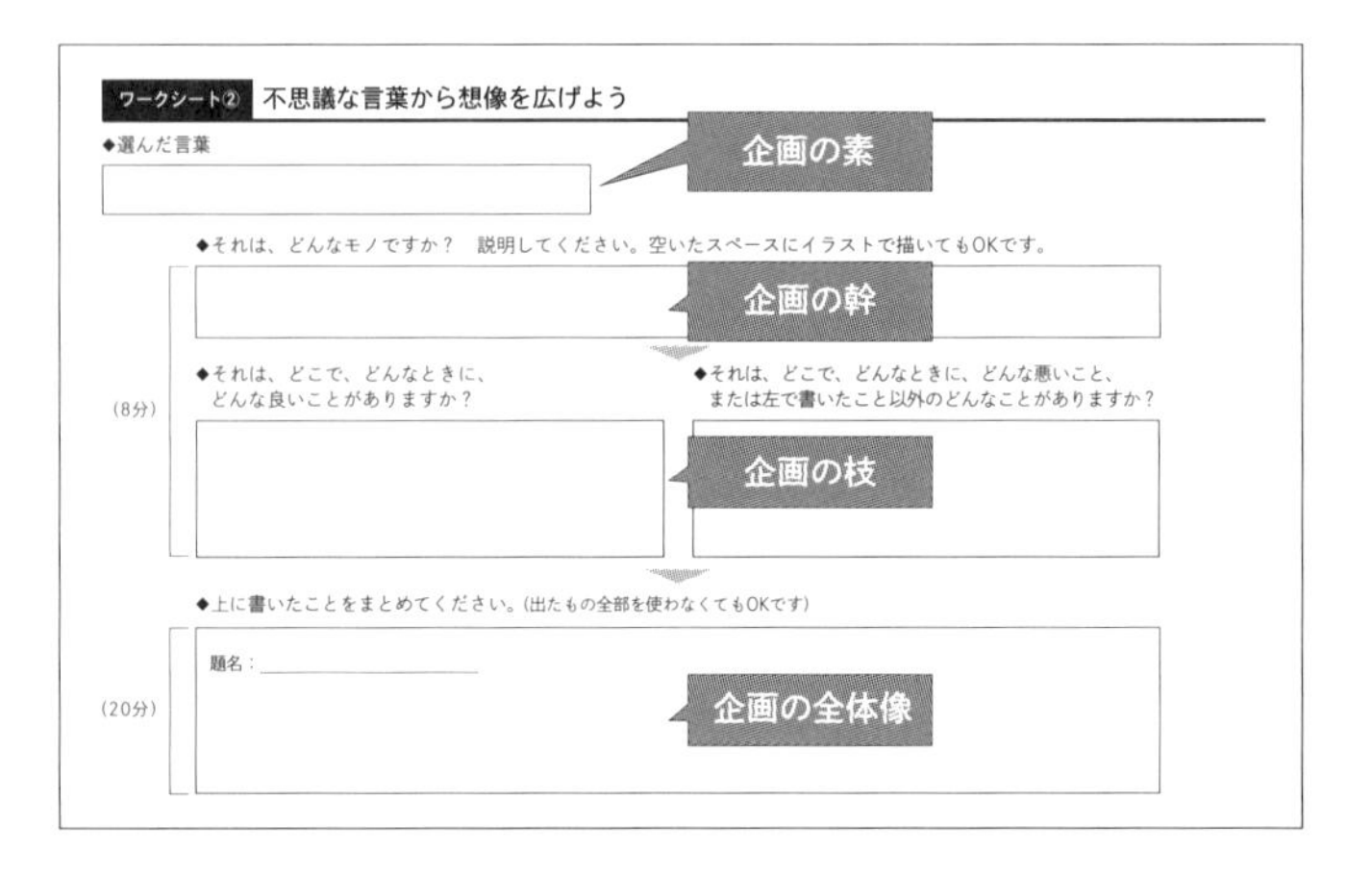
ワークシート② 不思議な言葉から想像を広げよう
◆選んだ言葉
企画の素
◆それは、どんなモノですか？　説明してください。空いたスペースにイラストで描いてもOKです。
企画の幹
◆それは、どこで、どんなときに、どんな良いことがありますか？
◆それは、どこで、どんなときに、どんな悪いこと、または左で書いたこと以外のどんなことがありますか？
（8分）
企画の枝
◆上に書いたことをまとめてください。（出たもの全部を使わなくてもOKです）
題名：
（20分）
企画の全体像

オススメ本

最後に、オススメの本を紹介します。中には紙の本で手に入りづらいものもありますが、電子書籍や図書館などでぜひ探してみてください。

- **江坂遊『花火』**（光文社文庫）

星新一さんが後継者に指名した鬼才による作品集。中でも「花火」という1作は彩り鮮やかで、強烈にノスタルジック。ぼくの人生を変えてくれた作品です。

- **太田忠司、田丸雅智『ショートショート美術館』**（文藝春秋）

太田さんとぼくの共著であり、同じ絵画をもとにそれぞれが1作ずつ作品を書くという「競作」スタイルの1冊。特に、ゴッホの絵から書かれた「語らい」という1作は、太田作品の真骨頂です。

● **北野勇作『その先には何が⁉ じわじわ気になる（ほぼ）100字の小説』**（キノブックス）

Twitter上で発表された膨大な作品の中から厳選された1冊。たった数行の中に閉じ込められた世界はじつに不条理で、読めば読むほど味わいが増していきます。

● **井上雅彦『四角い魔術師』**（出版芸術社）

星新一ショートショート・コンテスト出身の著者による、ショートショートと短編の収められた本。特に「パラソル」という1作は情緒的で、長く余韻が残る大好きな作品です。

● **堀真潮『抱卵』**（キノブックス）

第1回ショートショート大賞の大賞受賞者によるデビュー作。瓶の中に入り、その瓶の持つ記憶を堪能できる不思議な博物館の話「瓶の博物館」などを収録。

●
洛田二十日『ずっと喪』（キノブックス）
第2回ショートショート大賞の大賞受賞者によるデビュー作。毎月5日間だけ「桂馬」になる体質の女性の話「桂子ちゃん」など、癖になる味わいの作品が盛り沢山。

●
小狐裕介『3分で〝心が温まる〟ショートストーリー』（辰巳出版）
家事を実況して盛り上げてくれるオウムの話「実況オウム」など、繊細で優しい作品が満載。心が温まるというタイトルに偽りなしの1冊です。

●
星新一『ボッコちゃん』（新潮文庫）
氏の代表的な作品集。ぼくがむかし教科書で読んだ「おみやげ」や、有名な「おーいでてこーい」などを収録。ショートショートの基本が詰まっています。

●
レイ・ブラッドベリ『黒いカーニバル』（早川書房）
海外の作品集の中で、特にオススメの1冊です。収録されている「詩」という作品は強烈な切なさを覚える傑作ですので、ぜひ一読してみてください。

第5章　実際の作品例

実作例パート

各所で開催している講座で実際に生まれた物語を、いくつか紹介したいと思います。本書に収録できたのは4作品だけですが、講座では毎回たくさんの傑作が生まれていきます。物語が生まれていく過程と一緒に、お楽しみください。

【掲載作品】

- 「ハサミ車」小学6年生の方の作品
- 「頭が悪い神様」中学2年生の方の作品
- 「折りたたみ式世界」大人の方の作品
- 「ニュース缶」大人の方の作品

ワークシート① 名詞を探す／名詞から思いつくものを書いてみる

①下の例を見ながら、いろいろな名詞を20個探して書いてください。
②その中から1つだけ名詞を選んで◯をつけ、その名詞から思いつくことを自由に10個書いてください。

②

名詞から思いつくことを書いてみよう
速い
ガソリン
水素
便利
重い
エンジン
カウンタック
いろいろな種類
フェラーリ
二酸化炭素

①

名詞を探して書いてみよう	
(車)	ライト
自動販売機	白くま
消しゴム	ダイオウイカ
月	クジラ
ソーラーパネル	ピラミッド
水素	スフィンクス
机	ライダー
テレビ	骨
ラジオ	メガネ
エネルギー	ハサミ

※①と②の順番に注意してください!

ハサミの車
月のメガネ
クジラみたいな車

スフィンクスのラジオ
車自動販売機
エネルギー消しゴム

例：太陽で思いつくこと

発電に使える
マグマみたい
皆既日食
ぽかぽかする
夕焼け

例：

ガラス	腕
粘土	タコ
(太陽)	水筒
冷蔵庫	傘
たんす	鏡

ワークシート② 不思議な言葉から想像を広げよう

◆選んだ言葉

ハサミの車

◆それは、どんなモノですか？　説明してください。空いたスペースにイラストで描いてもOKです。

ハサミでできた車で、どんな大きなものでも簡単に切り刻むことができる。

(8分)

◆それは、どこで、どんなときに、どんな良いことがありますか？

古い建造物などを簡単に解体できる。

◆それは、どこで、どんなときに、どんな悪いこと、または左で書いたこと以外のどんなことがありますか？

どんな大きなものでも切ってしまうので、
たまに予想外のものが切れてしまう。

◆上に書いたことをまとめてください。(出たもの全部を使わなくてもOKです)

(20分)

題名：＿＿＿＿＿＿＿＿

「ハサミ車」小学6年生の方の作品

まずご紹介したいのが、「はじめに」でも掲載した「ハサミ車」という作品です。小学6年生の方が書いたとは思えないほどのハイクオリティーに唸らされます。

この作品は、どうやってつくられたのでしょうか。

作者のワークシート①（P87）を覗いてみると、名詞には「消しゴム」や「机」など、身近なものが挙げられています。

この中で、作者は「車」という名詞を選び、シンプルに連想を広げていかれたようです。ちなみに、「カウンタック」とはスーパーカーの名称ですが、こんな言葉がすんなり出てくるあたりが、ただものではありませんねぇ。

そして、ここから生まれた不思議な言葉が「ハサミの車」「月のメガネ」「スフィンクスのラジオ」などなど……なのですが、ここで「ちょっと待って！」と突っこみたくなるかと思います。

と言うのも、ぼくの説明通りにいくならば、言葉の組み合わせは「名詞から思いついたこと」と「名詞」で行われているはずなのですが、作者のワークシートをよく見ると、

不思議な言葉は「名詞同士」の組み合わせによってできているのです！（笑）

「そんなの アリなの⁉」

そういう声があがりそうですが、こういった逸脱（いつだつ）もウェルカムなのが、ぼくの講座です。作者は、説明されたやり方にとらわれず、独自のメソッドを開発して不思議な言葉をつくってくれたのです。素晴らしい柔軟性と言えるでしょう！

こうして、作品の核となる「ハサミの車」という言葉が生まれました。

次に、ワークシート②（P87）を見てみましょう。

【それは、どんなモノですか？　説明してください】

作者は、

・ハサミでできた車で、どんな大きなものでも簡単に切り刻むことができる。

と想像を広げたようです。どんな大きなものでも切り刻める。いったい、どんなものを切るのでしょうか。

【それは、どこで、どんなときに、どんな良いことがありますか？】
ワークシートを見ると、

- 古い建造物などを簡単に解体できる。

と書かれてあります。なるほど、切ることのできるのは、建造物だったというわけですね。

【それは、どこで、どんなときに、どんな悪いこと、または左で書いたこと以外のどんなことがありますか？】
完成した作品から推測するに、ここでいろいろなことを考えられたのでは、と思ったのですが、ワークシートにはシンプルに、

- どんな大きなものでも切ってしまうので、たまに予想外のものが切れてしまう。

と書かれてあるのみです。

その「予想外のもの」というのが何なのかこそが非常に気になるところなのですが、作者はここでは教えてくれません。きっと、「どんな予想外の大きなものが切れるのだろう？」という自分自身への問いかけに想像力が爆発的に膨らんで、この枠には収まりきらなかったのでしょう。

ちなみに、この作者。その日の講座で一番初めに「完成した！」と嬉しそうに挙手してくれたのを、いまでも鮮明に覚えています。

そして、読ませてもらって衝撃を受けました。

改めて、完成作品をお楽しみください。

「ハサミ車」

空の向こうには神様の世界がある。そこでは、実に500人の神様がいて、じょう気れいぞう庫、足時計など、変なものがたくさんある。その中でも、最新の物はハサミ車だ。ハサミでできた車で、どんなものでも「あっ」と言う間に切りさざんでしまう。

そんなハサミ車を手にした1人の神様は、地上でためしてみることにした。

「よし、スイッチを入れるぞ」

すると、ハサミ車は、軽快な音をたてて、動き出した。しかし、地上は神様の世界より弱い。地上の世界はまっぷたつにさけてしまったのだ。これにはさすがの神様もあわてて、熱い熱い、とけた岩をさけ目に流しこみ、地上の世界をなおした。

ところが、長い月日のたった今でも、そこは熱く、人間達からは赤道と呼ばれ、鳥や虫たちにも気に入られているという。

（了）

ワークシート① 名詞を探す／名詞から思いつくものを書いてみる

①下の例を見ながら、いろいろな名詞を20個探して書いてください。
②その中から1つだけ名詞を選んで○をつけ、その名詞から思いつくことを自由に10個書いてください。

② 名詞から思いつくことを書いてみよう
平和の象徴
鳥の一種
いろんな場所にいる
白い
飛べる
灰色もある
体はわりかし小さい
肉は食べない
飼われることもある
頭が悪い

① 名詞を探して書いてみよう	
北朝鮮	糸
原子	電気
ポケモン	国旗
筆箱	(ハト)
水	木
変化	舟
金属	空
夏	神様
妖怪	火
地獄	風

※①と②の順番に注意してください!

頭が悪い神様

飛べる舟

小さな空

いろんな所にある地獄
肉を食べない妖怪
白い火
灰色の風
平和な地獄

例：太陽で思いつくこと
発電に使える
マグマみたい
皆既日食
ぽかぽかする
夕焼け

例：	
ガラス	腕
粘土	タコ
(太陽)	水筒
冷蔵庫	傘
たんす	鏡

ワークシート② 不思議な言葉から想像を広げよう

◆選んだ言葉

頭が悪い神様

(8分)

◆それは、どんなモノですか？　説明してください。空いたスペースにイラストで描いてもOKです。

神様のことをやたらバカにする頭の悪い男がいました。
それに怒った神様が彼の前に現れ、3日間彼を神様にしました。

◆それは、どこで、どんなときに、どんな良いことがありますか？

その男はバカにされることがないよう、
じゃんじゃん幸運を振りまいていきました。
世界を幸運だらけにしました。
そして、人々を小さな神様にもしました。

◆それは、どこで、どんなときに、どんな悪いこと、または左で書いたこと以外のどんなことがありますか？

しかし、幸運をねたみ、争いがよくおきて、戦争にもなりかけました。
そしてその男は、神様をやるのが嫌になりました。
そして3日目の晩、その男は「神様なんていなくなってしまえ」とつぶやきました。

(20分)

◆上に書いたことをまとめてください。(出たもの全部を使わなくてもOKです)

題名：＿＿＿＿＿＿＿＿

「頭が悪い神様」　中学2年生の方の作品

次の作品は、タイトルからして皮肉っぽさがにじみでていますが、果たしてどのような過程を経て生まれた作品なのでしょうか。

ワークシート①（P93）に書かれた名詞を拝見すると、国や戦争、生や死に関係するような言葉が見られたり、「水」や「木」「空」など、自然に関するものが見られたりします。独特のセンスを感じる言葉選びですね。

その中から、作者は「ハト」という名詞で連想を広げていったようです。「平和の象徴」「白い」「飛べる」など、ハトの特徴が挙げられていきますが、最後にズバリ「頭が悪い」という強烈な一言が！　この思い切りのよさ。素晴らしいです。

次に作者は、不思議な言葉をつくってくれました。

枠に収まりきらないほどの、たくさんの言葉が書かれています。どれも何かがはじまりそうな予感に満ちた、じつに不思議な言葉たちです。

このうち作者は、「頭が悪い神様」という言葉を選び、物語を書くことに決めたようです。

ワークシート②（P93）に移りましょう。

【それは、どんなモノですか？　説明してください】

作者は、次のように書いています。

- 神様のことをやたらバカにする頭の悪い男がいました。
- それに怒った神様が彼の前に現れ、3日間彼を神様にしました。

これを読むだけでも、すでに作者の頭の中では物語がはじまっていることがうかがえます。

【それは、どこで、どんなときに、どんな良いことがありますか？】

物語は滞る（とどこお）ことなく組みあがっていきます。

- その男はバカにされることがないよう、じゃんじゃん幸運を振りまいていきました。

・世界を幸運だらけにしました。
・そして、人々を小さな神様にもしました。

なるほど、神様になって、幸運のばらまき政策を行ったというわけですね。

【それは、どこで、どんなときに、どんな悪いこと、または左で書いたこと以外のどんなことがありますか?】

流れるようにストーリーは展開していきます。

・しかし、幸運をねたみ、争いがよくおきて、戦争にもなりかけました。
・そしてその男は、神様をやるのが嫌になりました。
・そして3日目の晩、その男は「神様なんていなくなってしまえ」とつぶやきました。

いやはや、お見事!
あっと言う間に結末までできあがってしまいました。

あとは詳細を加えながら、まとめていくだけですね。
どのような作品に仕上がったのでしょうか。
ご覧あれ！

「頭が悪い神様」

あるところに、けっこう不幸で、しかも不幸が起きるたびに「幸運にしない神が悪い」「神はきっと怠(なま)け者だ」と、神様をバカにするヒロキという男がいました。

ある日、いつものように神様の悪口を言っていると、彼の前に男が現れ、「私は神だ」と言いました。そしてヒロキに向かって、「私をバカにするなら、私より良い神になってみろ。これから3日間、お前を神にしてやる。だが3日後の晩には、お前はふつうの人間に戻る」と言い、消えました。

ヒロキは大変喜び、「オレみたいな不幸なやつは出さない」と言って、不幸な人をどんどん幸運にしました。100円おとしたら、1万円を拾わせ、ケータイをなくしたらスマホをタダで与えました。

しかし、そういう幸運な人々をねたみ、争いがよく起こるようになり、人も何人か死んでしまいました。

ヒロキは驚き、「こりゃまいった。こうなるんだったら、誰も死ななきゃいいのに」と言いました。

神様の言葉は絶対なので、世界中の人々は全員死ななくなりました。それを知った人々は、さらに争いをおこしました。さらにヒロキは驚き、「神にでもなりゃいいのに。ちょっとしたやつでもいいから」と再び言ってしまいました。

そうして人々はちょっとした神になり、さらなる争いへとつながり、戦争までおこりました。

ヒロキはもはや絶望し、神様であることが嫌になりました。そして3日目の晩、彼は「神なんて消えてしまえばいいのに」とつぶやいてしまいました。

（了）

ワークシート① 名詞を探す／名詞から思いつくものを書いてみる

①下の例を見ながら、いろいろな名詞を20個探して書いてください。
②その中から1つだけ名詞を選んで○をつけ、その名詞から思いつくことを自由に10個書いてください。

②

名詞から思いつくことを書いてみよう
広くて平らな
重い
木でできている
食事をする
みんなが集まる
足が4本
積める
折りたためる
キャンプ用の
勉強用

①

名詞を探して書いてみよう	
海底	おじいさん
宝石	お酒
ソーダ	水族館
とんぼ	あめ玉
汽車	雪
お風呂	お城
シマウマ	カレー
鳥	おちょこ
カレーパン	トランプ
百貨店	(テーブル)

※①と②の順番に注意してください！

例：太陽で思いつくこと

発電に使える
マグマみたい
皆既日食
ぽかぽかする
夕焼け

例：

ガラス	腕
粘土	タコ
(太陽)	水筒
冷蔵庫	傘
たんす	鏡

広くて平らな汽車
重いカレーパン
木でできている水族館

食事をするお酒
みんなが集まるあめ玉
足が4本のおちょこ
積める百貨店
折りたためる海底
キャンプ用の雪
勉強用お風呂
広くて平らなトランプ
重いソーダ

ワークシート② 不思議な言葉から想像を広げよう

◆選んだ言葉

折りたためる海底

(8分)

◆それは、どんなモノですか？　説明してください。空いたスペースにイラストで描いてもOKです。

海底がでこぼこしているのは、実は折りたたまれているから。
人間はそのことを知らないでいたが、ある日、その事実とやり方がわかる。

◆それは、どこで、どんなときに、どんな良いことがありますか？

海の中で折りたたまれていたものが、
地球規模で折りたためたため、
ある街とある街が近くなるようになった。

◆それは、どこで、どんなときに、どんな悪いこと、または左で書いたこと以外のどんなことがありますか？

山折り、谷折りで日差しの入り方が変わる。
日光貧富の差が生まれる。折れるけど、
元に戻せない。海底は折鶴になっていて、
宇宙を飛んでいた。

(20分)

◆上に書いたことをまとめてください。（出たもの全部を使わなくてもOKです）

題名：＿＿＿＿＿＿＿＿＿＿

「折りたたみ式世界」大人の方の作品

さて、今度は大人の方の作品です。

ワークシート①（P100）の名詞を見ると、「海底」「汽車」「シマウマ」「おちょこ」など、独特のセンスを感じる言葉が並んでいます。

そんな中、作者は「テーブル」を選び、連想を広げていきます。「木でできている」「食事をする」「折りたためる」「キャンプ用の」など、テーブルの特徴をいろいろな角度から掘り下げていかれています。

そして、作者がつくった不思議な言葉。ワークシートを拝見すると、10個以上もの言葉ができあがっています！

「木でできている水族館」とは、いったいどんな水族館なのでしょう……気になります。「食事をするお酒」「積める百貨店」「勉強用お風呂」などなど、どれも想像力を刺激されます。

最終的に作者が選んだ不思議な言葉は「折りたためる海底」でした。ここから想像を広げていきます。

【それは、どんなモノですか？　説明してください】

いったい、どんな海底なのでしょうか。ワークシート②（P100）を見てみましょう。

- 海底がでこぼこしているのは、実は折りたたまれているから。
- 人間はそのことを知らないでいたが、ある日、その事実とやり方がわかる。

ははあ、なるほど！

作者は海底のでこぼこに注目し、あれは折りたたまれているからなんだ、と想像したようです。一気に発想がジャンプしましたね。おもしろい！

【それは、どこで、どんなときに、どんな良いことがありますか？】

ワークシートを見てみましょう。

- 海の中で折りたたまれていたものが、地球規模で折りたためたため、ある街とある街が近くなるようになった。

最初は海底の話だったものが広がって、地球規模の話になりました。ここでも発想の飛躍が見られます。いいですねぇ。

【それは、どこで、どんなときに、どんな悪いこと、または左で書いたこと以外のどんなことがありますか？】

- 山折り、谷折りで日差しの入り方が変わる。
- 日光貧富の差が生まれる。
- 折れるけど、元に戻せない。
- 海底は折鶴になっていて、宇宙を飛んでいた。

作者はアイデア同士の辻褄（つじつま）合わせにとらわれることなく、いろいろな切り口からアイデアを広げようとされています。

先ほど地球規模の話になっていたところから、一気に「山折りと谷折り」という素晴らしいアイデアに発展していますね。「日光貧富」というアイデアも、おもしろい！「折れる」というキーワードを広げ、「折鶴」が使えないかという観点から生みだされたアイデアもあります。

どれも輝くアイデアばかりでまとめるのが難しいほどですが、これらのアイデアは、どういう作品に仕上がったのでしょうか。

お楽しみあれ！

「折りたたみ式世界」

しんかい2000に乗った学者はついにマリアナ海溝の底にたどりついた。そこで学者を待っていたのは、今世紀最大の発見だった。マリアナ海溝の海底にはなんと文字が書いてあった。「谷折り」と。

一方、時を同じくして、エベレストの山頂にいた別の学者は、「山折り」という文字を発見していた。そう、この世界は折りたたまれてできていたのだ。

それから数年、研究の結果、「谷折り」「山折り」と地面に書くだけで、世界が折れてしまうことがわかってしまった。

それを知ったとある石油王。「これは世界を征服できるようなすごい力だ！」と思い、まずは自分の豪邸の庭に「谷折り」と書いた。

すると、どうだろう。

世界は彼の思いどおりにみるみる折れ曲がっていった。そして、彼の豪邸は、海の底へと沈んでいった。

（了）

ワークシート① 名詞を探す／名詞から思いつくものを書いてみる

①下の例を見ながら、いろいろな名詞を20個探して書いてください。
②その中から1つだけ名詞を選んで◯をつけ、その名詞から思いつくことを自由に10個書いてください。

②

名詞から思いつくことを書いてみよう
ネバネバしている
賞味期限がある
朝、かかせない
安売りする
からしやネギを入れるとおいしい
発酵させると良い
色々な種類がある
スーパーに売っている
すごく嫌いな人がいる
すごく好きな人がいる

和風な感じ　日本の味　混ぜるのが楽しい

①

名詞を探して書いてみよう	
桜	花
電車	花瓶
椅子	水
コーヒー	ガラス
(納豆)	旅行
ニュース	車
テレビ	ライオン
パソコン	魚
ビデオ	貝
電気	イカ

※①と②の順番に注意してください！

スーパーで売っているライオン

色々な味のする水

スーパーに売っているニュース

ネバネバする桜
日本の味がする水
安売りされるライオン
ネバネバした電気
まとわりつく電気
発酵させると良くなるビデオ
混ぜるのが楽しいニュース
賞味期限のある電気
賞味期限のあるニュース

例：太陽で思いつくこと

発電に使える
マグマみたい
皆既日食
ぽかぽかする
夕焼け

例：

ガラス	腕
粘土	タコ
(太陽)	水筒
冷蔵庫	傘
たんす	鏡

ワークシート② 不思議な言葉から想像を広げよう

◆選んだ言葉

スーパーに売っているニュース

◆それは、どんなモノですか？　説明してください。空いたスペースにイラストで描いてもOKです。

現代の人々はニュースに疲れ、スーパーで情報を買うようになった。自分で自分の欲しいニュースを選べるので便利だ。大型スーパー、業務スーパーで安いものが買える。

(8分)

◆それは、どこで、どんなときに、どんな良いことがありますか？

自分のいらない情報は買わなくて良い。
安売りするといい情報が買える！
俳優のつきあっている人とか、国家機密も買える。
朝一でいくと良い物が買える。
情報に疲れることがなくなった。
鮮度を確かめて買える。

◆それは、どこで、どんなときに、どんな悪いこと、または左で書いたこと以外のどんなことがありますか？

金を持っている人が有利。
ニュースには賞味期限があって、
古すぎるニュースを掴まされることがある。
ニュースが傷んでいてひどい勘違いをしてしまうことがある。
レジで買うのが恥ずかしい。
偏食になる。

◆上に書いたことをまとめてください。（出たもの全部を使わなくてもOKです）

(20分)

題名：＿＿＿＿＿＿＿＿

「ニュース缶」大人の方の作品

大人の方の作品、第2弾です。

ワークシート①（P106）の名詞のところでは、身近にあるいろいろなものが書かれています。

そこから作者は、「納豆」を選び、連想していかれたようです。「ネバネバしている」「からしやネギを入れるとおいしい」など、納豆ならではの特徴が挙げられています。

これらをもとに考えられた不思議な言葉を見てみましょう。

「ネバネバする桜」「安売りされるライオン」「発酵させると良くなるビデオ」など、ユーモラスな言葉が並ぶ中、作者が選んだのは「スーパーに売っているニュース」という言葉でした。


【それは、どんなモノですか？　説明してください】

どんなものなのか、とても気になりますね。ワークシート②（P106）には、次のように書かれています。

・現代の人々はニュースに疲れ、スーパーで情報を買うようになった。
・自分で自分の欲しいニュースを選べるので便利だ。
・大型スーパー、業務スーパーで安いものが買える。

スーパーでニュースを買える時代が到来した、ということですね。おもしろい！　業務スーパーで安いものが買えるという視点は、とてもユーモラスで笑えます。

【それは、どこで、どんなときに、どんな良いことがありますか？】

ワークシートには、次のように書かれています。

・自分のいらない情報は買わなくて良い。
・安売りするといい情報が買える！
・俳優のつきあっている人とか、国家機密も買える。
・朝一でいくと良い物が買える。

- 情報に疲れることがなくなった。
- 鮮度を確かめて買える。

スーパーの特徴とニュースの特徴が絶妙に混ぜ合わさって、素晴らしいアイデアへと昇華されています。

【それは、どこで、どんなときに、どんな悪いこと、または左で書いたこと以外のどんなことがありますか？】

発想はノンストップで発展していきます。

- 金を持っている人が有利。
- ニュースには賞味期限があって、古すぎるニュースを掴まされることがある。
- ニュースが傷んでいてひどい勘違いをしてしまうことがある。
- レジで買うのが恥ずかしい。
- 偏食になる。

なるほど、ニュースに賞味期限がある。これは現実のニュースにも通ずることですが、巧(たく)みにスーパーと掛かっています。ニュースが傷んでいるというアイデアも、おもしろいですねぇ。

さて、これらのアイデアから生まれたのが、次の作品です。

ちなみに、この作者は後にプロ作家となる小狐裕介(こぎつねゆうすけ)さんです。２０１９年には、第4章の「オススメ本」でも紹介している作品で単著デビューをされましたが、この当時から実力が光っています。

例の最後を飾る作品として、お楽しみください。

「ニュース缶」


「お、今日はスポーツが安いな」

そう言いながら僕は『スポーツ』と書かれたニュース缶をスーパーのかごに入れた。

昔は無料でニュースを受け取れたそうだが、今はこうしてわざわざ買わなくてはならない。不便な世の中になったものだ。

スポーツはあまり安売りしないジャンルなので、今日はついている。安い給料でやりくりするのは大変だが、唯一の趣味なのだからこれくらいの贅沢(ぜいたく)はいいだろう。

夕飯を食べながらさっそくスポーツ缶を開けると、頭の中にニュースが響き渡った。うーん、安いだけあって、目新しいニュースはないな。もっと高いやつにすればよかったかな。

呼び鈴が鳴ったので出てみると、実家からの宅配便だった。母から時々届く仕送りだ。

開けてみると、自分では高くて買えない政治缶が出てきた。実家暮らしの頃は政治缶がこんなに高いなんて知らなかったなぁ。本当にありがたい。さっそく開けてみる。

「この度、徳川さんが江戸幕府を作りました」

……母さん、この缶、傷んでいるよ。ちゃんと賞味期限見てから送ってくれよな。

（了）

第6章 超ショートショートの即興ライブ

即興ライブの様子

ぼくは各所での「超ショートショート講座」のほかにも、「即興ライブ」と称し、ゲストを迎え、その場で作品をつくりあげるというイベントを実施しています。

これは「ワークシート①」をゲストや会場のお客さんに埋めていただき、それを元に、ぼくがリアルタイムでスクリーンに投影したワークシートへと、ステップ1からステップ3までを書きこんでいくというものです。ゲストの方もぼくも、何ができるかまったく予測不可能。その場のやり取りだけで、即興で物語をつくっていきます。

これまでいろいろな方をゲストにお招きして開催してきましたが、中でもここでは、芸人であり芥川賞作家でもあるピース・又吉直樹さんとの即興ライブの様子を簡単にご紹介したいと思います。

まず、又吉さんが「ワークシート①」に書いてくださった言葉は、P115の図の通りです。「サッカーボール」「ジャケット」「リュックサック」など、又吉さんらしさを感じますね。「チャンピオンベルト」が入っているのは、なぜでしょうか（笑）。

又吉直樹＆田丸雅智

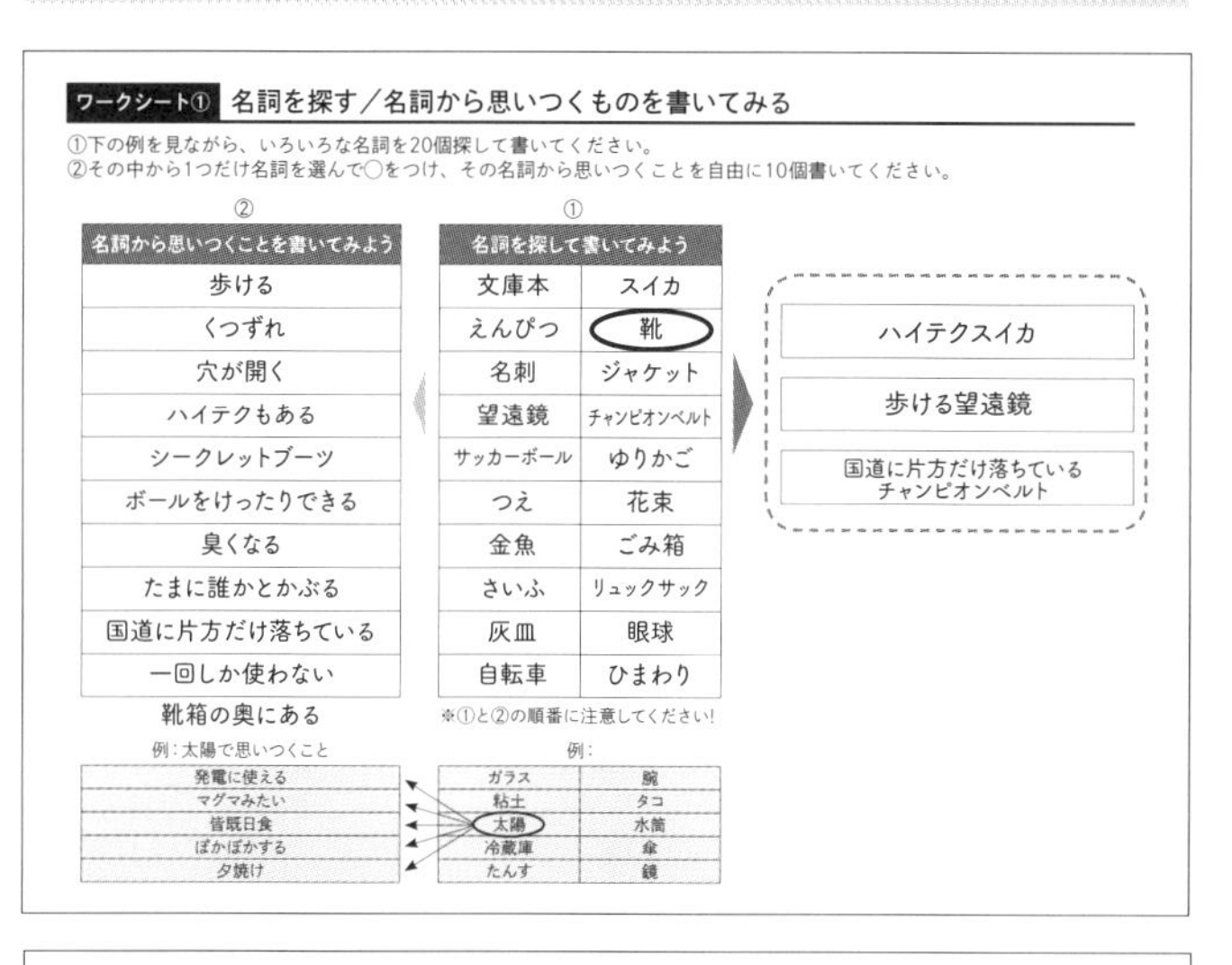

ワークシート①　名詞を探す／名詞から思いつくものを書いてみる

①下の例を見ながら、いろいろな名詞を20個探して書いてください。
②その中から1つだけ名詞を選んで◯をつけ、その名詞から思いつくことを自由に10個書いてください。

②

名詞から思いつくことを書いてみよう
歩ける
くつずれ
穴が開く
ハイテクもある
シークレットブーツ
ボールをけったりできる
臭くなる
たまに誰かとかぶる
国道に片方だけ落ちている
一回しか使わない

靴箱の奥にある

①

名詞を探して書いてみよう	
文庫本	スイカ
えんぴつ	靴（◯）
名刺	ジャケット
望遠鏡	チャンピオンベルト
サッカーボール	ゆりかご
つえ	花束
金魚	ごみ箱
さいふ	リュックサック
灰皿	眼球
自転車	ひまわり

※①と②の順番に注意してください！

ハイテクスイカ

歩ける望遠鏡

国道に片方だけ落ちている
チャンピオンベルト

例：太陽で思いつくこと

発電に使える
マグマみたい
皆既日食
ぽかぽかする
夕焼け

例：

ガラス	腕
粘土	タコ
太陽（◯）	水筒
冷蔵庫	傘
たんす	鏡

ワークシート②　不思議な言葉から想像を広げよう

◆選んだ言葉

歩く望遠鏡

◆それは、どんなモノですか？　説明してください。空いたスペースにイラストで描いてもOKです。

足がついている。意志がある。
のぞきたいのに、のぞかしてくれない。

（8分）

◆それは、どこで、どんなときに、どんな良いことがありますか？

ようやく覗けたら見たいもののところにたどりついている。
見なくていいものの判断をしてくれる。
それでも見たいか？　と覚悟を問うてくる。

◆それは、どこで、どんなときに、どんな悪いこと、または左で書いたこと以外のどんなことがありますか？

リュックに入れていると背中がもぞもぞする。
終電に乗り遅れそうでも、走りはしない。

◆上に書いたことをまとめてください。（出たもの全部を使わなくてもOKです）

（20分）

題名：＿＿＿＿＿＿＿＿

そして、又吉さんは「靴」という言葉から連想を広げていかれました。「歩ける」「くつずれ」など。「たまに誰かとかぶる」「国道に片方だけ落ちている」という視点は、さすがです。

さて、ここからが即興の時間です。

又吉さんがその場で考えてくださった不思議な言葉は、「ハイテクスイカ」「歩ける望遠鏡」「国道に片方だけ落ちているチャンピオンベルト」。どれも想像力を刺激されます。「国道に片方だけ落ちているチャンピオンベルト」とは、いったいどんなものなのでしょうね（笑）。

この3つの不思議な言葉のうち、又吉さんは「歩く望遠鏡」という言葉で物語をつくることを決められ、「ワークシート②」へと移りました。

スクリーンには「ワークシート②」が映しだされ、又吉さんと一緒に発想を広げ、ぼくがどんどん内容を書きこんでいきます。

【それは、どんなモノですか？　説明してください】

又吉さんは、

・足がついている。意思がある。覗（のぞ）きたいのに、なかなか覗かせてくれない。

と考えられ、それをぼくがリアルタイムで記入していきます（P115の略図を参照）。

【それは、どこで、どんなときに、どんな良いことがありますか？】

ぼくからの質問を合間に挟（はさ）みつつ、又吉さんに考えていってもらいます。「覗きたいのに、覗けない」という切り口がしっくりきたようで、これを起点に、

・覗きたいとき、手に取ろうとしたら勝手に歩きだす。そして、ようやく持てたときには、見たかったものの正面に来ている。「望遠鏡を使わなくても、見ようと思ったら歩いて見に来られたでしょ。ラクしようとするな」と言う。

・世の中には全部見ないほうがいいものがあり、その見なくていいものを判断してくれる。

・覗こうとすると「おれを捕まえてでも見たいのか?」と覚悟を問うてくる。

などが出てきました。独特の発想に思わず笑ってしまいます。

【それは、どこで、どんなときに、どんな悪いこと、または左で書いたこと以外のどんなことがありますか?】

ここでも、又吉さんらしさが炸裂(さくれつ)します。

・天体観測をしたくてリュックに入れて電車に乗っていると、リュックの中で足が動いて背中がもぞもぞする。

・終電に遅れそうなときでも、あくまで歩いて走りはしない。

以上のことをもとにして、まとめの作業に入ります。

ぼくがパソコンで文字を打ちながら即興で物語をつくっていくのですが、書きながらも二人のあいだで次々とさらなるアイデアが溢(あふ)れてきました。

- 主人公と望遠鏡は、漫画「ど根性ガエル」のようにいつも一緒に行動する関係性。でも、いつ覗かせてくれるのかは教えてくれない。
- 下駄を履(は)いているが、履かせるものによって見える世界が変わる。ヒールを履かせたら、全体的に薄いピンクがかかっている。竹馬を履かせたら、背伸びした自分がいる。
- 口癖は「おれ覗いたら、すっごいの見えるよ」。
- 覗いたら未来が見えるらしいのだが、覗こうとすると「ネガティブな未来を見たとして、それでも生きていけるのか?」と問うてくる。
- 一緒に箱根に行って足湯につかる。

このほか、結末に関わるアイデアも出てきましたが、ここでは伏せておきましょう。

こうして、出てきたアイデアを取捨選択していって、又吉さんとの初めての超ショートショートが完成しました。

又吉直樹さんとの共作ショートショート

ライブで書いたのは数行程度の超ショートショートだったのですが、ここではその作品の掲載は割愛します。

代わりに、その後ライブでできた作品を持ち帰り加筆修正を行って、最終的にできあがったショートショートをご紹介したいと思います。

先述のアイデアたちがどのような物語に仕上がったのか、この本を締めくくる作品として、お楽しみいただければ幸いです。

「歩く望遠鏡」

又吉直樹&田丸雅智

当てもなく、夜道をふらふら彷徨(さまよ)っていた。

あと少しで、おれも就職活動か。いつの間にか、自分も大人になったもんだなぁ。

そんなことを考えながら、のらりくらりと歩いていた。

そのときだった。おれの視界の端で、何かが動いた。暗い道に目を落とすと、そこには望遠鏡らしきものが落ちていた。

いや、落ちていた、という表現は適切ではなかった。

それを見て、おれは我が目を疑った。

望遠鏡自体は、小ぶりのふつうのものだった。問題は、その望遠鏡に足が生え、すたすたと道を歩いていたことだ。しかも、なぜだか下駄を履(は)いて……。

「じろじろ見なや。見せもんやないで」

急に声が聴こえてきて、驚いた。おれは咄嗟(とっさ)に周囲を見渡した。が、誰の影も見当たらなかった。いまの声は、いったい……？

「おれや、おれ。おれが喋ってんねや。どこに目ぇつけてんねん」

言われて見ると、視線の先にあったのは、さっきの望遠鏡だった。

「まさかいまのは、あなたから……？」

恐る恐る尋ねると、望遠鏡は言った。

「せや」

おれは思わず立ち止まり、言葉を失った。それに合わせるようにして、望遠鏡も歩みを止めた。

しばしのあいだ、沈黙が流れた。

先に口を開いたのは、向こうだった。

「兄ちゃん、なんや頼りない顔してるな。よぉし、決めた。おれは決めたで。おれ、兄ちゃんのとこでしばらく世話になるわ」

「はい？」

意味が分からず、問い返した。

「世話言うたら世話や。おれの面倒見てくれや。兄ちゃんが頼りない顔してるから、ほっとけんかったんや。な、ええやろ？　ほな頼んだで」

「ほっとけんかったって、そんな、めちゃくちゃな……」

『めちゃくちゃや？　したら兄ちゃんは、歩いて喋る、このおれという望遠鏡と出会った以上にめちゃくちゃなことを言われてるとでも思てんのか？」

「それは……」

「せやろ。まあ、万事、任しとき。心配せんと、光熱費くらいは出したるから」

そんな具合で、おれは奇妙な望遠鏡との共同生活をはじめたのだった。

望遠鏡は、どこへ行くにもついてきた。

「いつおれが役に立つか、分からへんやろ？」

しかし、彼には困ったものだった。

「……そんなこと言って、これまでまだ一度だって覗かせてくれたことないじゃないですか」

実際、おれが彼――望遠鏡を覗いてみようとすると、決まっていつも拒否するのだ。

「まだ時期が来てへん」

「いっつもそれじゃないですか……もしかして、本当は覗いても何も見えないんじゃないですか？」

「アホか。おれ覗いたら、すっごいの見えるで」

自信満々に彼は言う。

「じゃあ、覗かせてくださいよ」

「時期が来てへん」

その一点張りだった。

夜になると、よく望遠鏡と散歩をした。彼で空を眺めてみたら、さぞきれいなんだろうなぁ。そう思い、覗かせてほしいと打診してみる。

「兄ちゃんは、そんなに覗いてみたいんか」

静かに問う望遠鏡に、おれは軽い気持ちで答えた。

「こんな夜は、あなたで空を見上げたら、きっときれいだろうなぁと」

「あんなぁ、兄ちゃん、そういうとこやで」

そういうとこやで、と彼は繰り返した。

「世の中にはな、ぜんぶ見ぃひんほうがええもんもあるんやで？　見てもうてがっかりすることなんて、ざらにある。それでも兄ちゃんは、ほんまに見たいんか？

おれがやめとけ言うのに、強引に見たいんか？　ほんまやな？　軽はずみやないんやな？　ええんやな？　ようし、分かった、ほなら！」

「ま、待ってください！」

おれは慌てて彼を制する。

「そこまでの覚悟はありませんでした……もう一回、冷静になって、ちゃんと考えてみます。すみません……」

「そういうとこやで」

歩みを速めた彼のあとを追って、夜道を行く。

日中に移動するとき、おれは彼をリュックに入れた。が、どうしてもじっとしていられないらしく、終始、動いてばかりで背中はもぞもぞした。

家の中で過ごすことも多かった。おれはごろごろしているのだが、彼はだいたい、スクワットをしていた。なんでも、身体を支えるための筋力維持に努めなければならないらしい。足があって移動できるというのも、それなりに大変なものなんだなぁなどと、おれは思った。

「なんや、何を見とんねん」

その日、アパートのベランダから外をぼんやり眺めていると、彼は横にやってきた。

おれは、ぎくりとしながら、咄嗟にごまかそうとした。

「な、なんでもありませんよ」

「ははぁん、さては女やな。あのマンションか」

図星だった。よくないことだとは承知しつつ、おれは無意識のうちに、近所にある好きな子の部屋を眺める癖があったのだ。

何も言えないでいると、彼はつづけた。

「ほんまに世話がやける兄ちゃんやなぁ。しゃあない。おれがひと肌、脱いだろか」

「ちょっと、何するつもりですか⁉」

「焦(あせ)らんでもええ。あの部屋の中を見したる」

「見したるって……？」

「おれも男や。おれが覗かしたるよ」

「覗く⁉　そんな、犯罪じゃないですか！」

「ええから、黙って覗き。ほれ、覗き口に目を当てるだけや。な？」

おれはしばしのあいだ葛藤（かっとう）していたが、ついに誘惑に負け、ためらいながらも頷（うなず）いた。

「そこまで言ってくださるのなら……お願いします」

そしておれは、顔を近づけようとした。

すると彼は、少し横に動いた。

「どこに目を当ててようとしとんねん。そっちやない。こっちや」

また移動したけれど、目を当てようとすると、どうもズレた。

「こっちや、こっち」

おれは覗こうと思って躍起（やっき）になった。

「そこちゃう！　もっと左や！」

「は、はい！」

片目をつぶった状態で、夢中になって覗き口と奮闘した。

覗きたいのに覗けない状態にやきもきしつつも、おれは粘りに粘った。

そのとき不意に、彼は言った。

「着いたで」

ハッとして顔を上げると、そこはあの子の住むマンションの前だった。

「い、いつの間に⁉」

「所詮は、こんなもんなんや」

彼は遠くを見つめるような感じで言った。

「望遠鏡で見たいと思てる対象は、ほんまに望遠鏡やないと見ることができひんもんなんか？　ああ、察しの通りや。ぜんぶがそうとは、ちゃうよなぁ。人間、ラクしたらあかんのや。現に、歩こうと思ったら歩けたやろ？　直接見に行けるもんは、望遠鏡なんか使わず見に行ったらええんや。勇気だして、目の前で見してくれって言うたらええんや。なんも恥ずかしいことやあらへん。ラクだけは、あかん。絶対、しようとすなよ」

おれは目から鱗の思いだった。そして、自分の浅はかさを恥じた。

「……すみません、軽率でした」

分かればええんや、と、彼は呟いた。

「ですが、やっぱり一回くらいは覗かせてくださいよ」

「時期が来たらな」

そう言って、彼はからんころんと下駄の音を響かせながら我が家のほうへと戻っていった。

ある日、おれは聞いてみた。

「あの……いまは覗かせてもらえなくても、せめて、覗けばどんな感じなのかくらいは教えてくださいよ。どれくらい先まで見えるものなんですか？」

懇願すると、彼は少し考えてから口を開いた。

「まだ教えるわけにはいかん。そんなん教えたら、覗いたときの驚きが半減するやないか。せやけど、すっごいもんが見える。これだけは断言できるで」

「そんなに遠くまで見えるんですか？」

「答えを急ぐな、言うてるやろ。見えるのは、なにも景色だけやないかもしれへんのやぞ？」

「……どういうことでしょう？」

「おれを覗くと、未来が見えるかもしれへん」

「未来!?」

思わず声が裏返ってしまった。

「せや」

　彼はつづけた。

「もしおれを覗いて、未来が見えたらどうすんねん。明るい未来やったらええで。やけど、ネガティブな未来やったら、どや？　そんなもん見てしもたあとで、それでも兄ちゃんは、ちゃんと与えられた人生をまっとうに生きていけんのか？」

「……そこまで深く考えていませんでした」

　すみませんと謝ると、ええんや、と彼は言った。

　そして首を振るように、身体を振った。

「しかし、あかんな、おれも」

「なにがですか……？」

「こんな気持ちになるなんて、歳をとったということなんやろなぁ。なんや、兄ちゃんが不憫に思えてきて、ネタバレしとうなってきたわ。こんな必死になってくれてるんやもんなぁ。もしかしたら、何が見えるか、ヒントくらいはあげてもええんかもしれへんな。せやな、ヒントくらいやったらええか」

　ぶつぶつ呟いたあとで、彼は切りだした。

「兄ちゃん、おれな、下駄履いてるやろ？　これを変えるとな、じつは見えるもんも変わるんや」

「ええっ⁉」

「スニーカーにしたり、革靴にしたりな。それで何がどう変わるかは、いまは言わへんで。けどな、たしかに変わるんや。ヒールを履いたおれなんか、めっちゃおもろいで。変わり種でいくと、竹馬なんかも、これまたおもろい。もうな、すっごいんや」

興奮気味に彼は話す。

「ああ、覗きたいなぁ……」

おれは、ぽつりとこぼす。

「でも、時期が来たら、なんですよねぇ」

よぉ分かっとるやんかと、彼は笑った。

「なあ、兄ちゃん、箱根に行こか」

言いはじめたのは、やっぱり彼のほうからだった。

部屋で漫画を読んでいると、突然、声が飛んできたのだ。

「なんでまた、箱根なんかに」

「決めたんや」

それだけ言って、黙ってしまった。

おれは、やれやれと諦め（あきら）めの混じった息を吐く。彼が一度言いだしたら、もう梃（てこ）でも動かない。彼との短くも濃い時間の中で、そんなことは熟知していた。

「ほな、行きましょか」

返事をすると、彼は笑い声をあげた。

「なんや、おれの関西弁がうつってきてもうてるやん」

「そんな笑わんでもええやないですか。好きでやってんのとちゃいますからね」

「いや、もう絶対わざとやろ」

そのやり取りがツボに入ったようで、箱根に着くまで彼はずっと、笑いつづけた。

「ほら、着きましたよ。これで満足しましたか？」

突き放すように言うおれに、彼はリュックの中から声をだした。

「なんや、まだ怒ってんのか。ごめんって」

「はいはい。で、どこに行くんです？」

「足湯や」

「足湯？」

「兄ちゃんと、裸同士で付き合いたいなぁ思てな。まあ、裸言うても足だけやし、おれのほうはいっつも裸同然やないかいと思てるかもしれへんけど、履物があるとないとでは全然ちがうんや。下駄も脱いで素足になって、いろいろ語り合おやないか」

　おれはひと気のない場所を選んで、リュックの中から彼を出した。

　彼は下駄を脱いで、さっそく湯に向かった。思えば、彼は部屋の中でもずっと下駄を履いていて、脱いだのを見たのは初めてだった。

　おれもそれにつづき、靴下を脱いでズボンをまくる。

　隣に並んで腰かけて、湯にゆっくり足を浸(ひた)した。

「気持ちええなぁ……」

「ですねぇ……」

　遠景には、雪を冠(かん)した富士山が佇(たたず)む。

ちゃぷちゃぷと足で湯を掻き乱したりして遊んだあとは、お互い口を閉ざして遠くを眺めた。

やがて身体がじんわり温まったころ、彼はぽつりと言った。

「そろそろ、ええかな」

ぼんやりしていたおれは、少し遅れて反応した。

「ええって、何がですか？」

「もう、ええってことや。時期は来た。おれのこと、いまやったら覗いてええで」

「え……？」

その言葉が信じられず、耳を疑った。

「ほんとですか？　そんなこと言って、からかってるんじゃないでしょうね？」

「ほな、やめよか」

「本気……なんですか？」

彼はこくりと頷いた。

「……いいんですか？」

「ええよ。兄ちゃんだけやで。気の変わらんうちに、はよしいや」

おれの心の中では、迷いが渦を巻いていた。

もともとは、自分からお願いしていたことなのに、いざそれを前にすると、ためらう気持ちが強まった。本当に、いまがそのときなのだろうか？　覗くことで、何か弊害(へいがい)が出たりはしないだろうか？　覗くという目標を失って、燃え尽き症候群になったりしないだろうか……？

さんざん頭を抱えた末に、おれはとうとう、腹をくくった。

「それじゃあ、失礼します」

厳かな気持ちで、向けられた覗き口にゆっくり目を当てた。

レンズは湯気で曇(くも)っていて、何も見えやしなかった。

（了）

第7章 Q&A

日頃、たくさん講座を開催する中で、みなさんからよくいただく質問やお悩みというのがあります。ここでは、実際に寄せられたそれらの声へ、ぼくなりに回答させていただければと思います。

なお、本書で何度も述べているように、**創作にこうでなければならないというルールや答えなどはありません。ここで書いた内容も「あくまでひとつの例」として、参考程度にお考えください。**

Q. アイデアが出ないとき、うまく進まないとき、どれくらい粘りますか？

見込みのありそうなアイデアだったはずが、なかなかうまくいかない（自分の中で途中からおもしろくない気がしてきた、結末がいまいちな気がしてきた）とき、その先を考えるにあたって、どれくらい粘りますか？　それとも、あきらめますか？　うまくいかないとき、どう折りあいをつけているのか質問させてください。

A. ぼく自身の脳には「紙に書いて広げていくとアイデアの突破口が見えやすい」という傾向

がありますので、詰まったら意識的に手を動かして何かしら書きつけてみるようにしています。それで芳しい結果が得られなくとも、一日中唸ってみたり、数日置いてまた向き合ってみたりして、一度いけそうだと思ったアイデアは何とか形にすべく最大限の努力をするイメージです。ただ、やはりどうしてもダメだ、というときは、いったん途中までをメモに残しておいて、また別のアイデアを考えて進めるようにしています。そうすると不思議なもので、前に唸ったまま放置していたアイデアのかけらが、別のところである日、急に輝きはじめたりします。

Q.どのタイミングで作品完成とみなされるのでしょうか？

書いているうちに、どこで切り上げたらいいか分からなくなることがあります。田丸さんはどうやって作品完成を判断されていますか？　また、執筆のどの工程に一番時間や労力を費やしますか？

A.　完成を判断するタイミングは人によってまったく異なることだと思いますので、あくまで一例としてお考えいただきたいのですが、ぼくの場合は、作品の最初から最後までよどみなくスムーズに読め、かつ、構想時に織り込みたいと意図したものがきちんと表現されていると思えた時点が完成です。

そして、工程に関してですが、ぼくの場合は第1稿（最初に書きあがった原稿）の時点ではかなり粗さが残っているため、物理的に時間がかかるのはそこからの推敲(すいこう)です。先述の「自分なりの完成の条件」を満たすまで何十回も推敲しています。

もちろん、アイデアがぶれるとそもそも作品全体が揺らぎますので、アイデア出しの工程もとても大切です。

結論、言わずもがな全工程が大切ですが、ぼくは推敲に物理的な時間がかかっている、というイメージです。

Q. 個性やオリジナリティー、作風はどのように見つければよいのでしょうか？

これはひたすら書くしかないのかもしれませんが、田丸さんの作品を読むと、作者名が隠されていても「ああ、田丸作品だなぁ」と感じます。ここにたどりつくために気を配ったことはありますか？

A. そう感じていただけていれば、とてもうれしいです。

作風については、ひたすら書いていく中で見出していくしかないのではと思います。ぼくの場合は、100～150作品くらい書いたころから、だんだん、これは自分らしいな、という独自の感覚が身についていきました。

そこに至るまでは、とにかく自分と向きあう作業でした。自分はどんな発想、テイストの作品を好むのか。自身の中で、それがうまく表現できた作品はどれで、それを別作品でも再現するためにはどうすればいいか。そんなことを言語化して、見定めていきました。

自分を掘り下げ、とことん己と向き合う。これに尽きるのではと思います。

Q. 発想の偏りはどうすれば解消できるでしょうか？

作品をたくさん書いていくうちに、自分の発想の偏りや癖がだんだん分かってきました。その上で、スキルアップのためのオススメの方法があれば教えてください。

A. こうすればよくなる、という答えはありませんので、ぜひ道なき道を切り拓いていっていただきたいところですが、それを前提にして強いてお答えするならば、まず、その偏りや癖というのを言語化するところからはじめてみてはいかがでしょうか。そのうえで自分はどんなふうになりたいのかを考えて、そこに行くためにさらにたくさんの作品に触れてみて、たくさんの作品を書いてみる、ということではないかと思います。あるいは、意図的にふだんとは異なることをやってみるのもよいかもしれません。

とにかく、試行錯誤をしてみてください。もちろん、楽しみながら！

Q. ショートショートは分かりやすいオチが絶対になければいけないのでしょうか？

私の作品には「オチというほどのオチはない、雰囲気を残すラスト」が多い傾向にあります。自分でもそれは自覚しており、大切にしたいとも思っています。ですが、雰囲気でラストを締める私の作品はプロを目指すとしたらどうなんだろう、とも考えています。「オチありきの作品」をつくる努力をした方がよいのでしょうか？

A. 同じ悩みを抱えている方は多いようで、同様の質問はたくさん受けます。そして、「ショートショートといえばオチ」「一番の醍醐味は、どんでん返し」という方も少なくないように感じています。

その一方で、ショートショートの名作で、いわゆる「オチ」とは違う結末の作品もたくさん存在しているのも事実です。そのことから、ぼくは現代ショートショートでは、結末について「オチも含んだ『印象的な結末』」になっていることがポイントだと考え、提唱しています。明快な「オチ」が絶対に必要というわけではない、ということですね。

ちなみに、雰囲気を重視した結末にする場合でも、描き方次第で「印象的」にすることは十分に可能です。井上雅彦さんの傑作「パラソル」（『四角い魔術師』収録）がその代表例だと思いますので、ぜひ研究なさってみてください。

Q. ラスト1行でオトそうとすると、なんだかつまらない物語になってしまいます。

切れ味の鋭いラスト1行で終わらせようとするのですが、読み返してみると、なんだか物足りないものになってしまっています。もっと余韻を残して終わりたいのですが、ラスト1行で終わらせようとすると、これは仕方のないことなのでしょうか？

A. おそらくですが、ラスト1行にこだわりすぎ、物語が痩せ細ってしまっているゆえではないかと推察します。ラスト1行を意識しすぎると、その1行「だけ」が言いたい作品になってしまう可能性があり、全体がその1行のための伏線となりすぎたり、間をもたせるためだけのものになったりして、味気なくなってしまい得ます。

もちろん、そういった作品があってもよいわけですが、もしいま物足りないと感じているようでしたら、たとえラスト1行でオトすような物語であっても、そこへ向かっていく過程を豊かで広がりのあるものにする意識を持って書かれてみてはと思います。

余談ですが、ラスト1行でオトそうとしたときに最も書きやすいのが、いわゆる「どんでん返し」です。一例を挙げると「じつは○○でしたオチ」で、たとえば「じつは夢でした」の「夢オチ」は言うまでもありませんが、ほかにも「じつは語り手が人間ではありませんでした（幽霊でした、動物でした、アンドロイドでした、など）」や、その派生形などがあります。もちろん、これらがダメなわけではまったくありませんし、ぼくもときどき書いているのですが、この手のものは先行作品が無数にあるため、もし書く場合にも、そのことを強く意識して取り組む必要があります。先行作品が膨大にあるということは、それだけ新しいものを書くのが難しいということで、どうしてもクラシカルな印象の作品になってしまったり、既視感の強いものになってしまう可能性をはらんでいます。

ただ、逆に言えば、こういったある種の型を使う場合、結末だけではなく過程の描き方を変えることで差別化を狙えるということでもあります。別の切り口で料理できれば斬新な作品が生まれる可能性も大いにありますので、ぜひ挑戦してみてください。

Q ネガティブな結末にする際、気をつけていることはありますか？

ネガティブな結末のものはパンチがききやすい分、なんだかチープになりやすい気がしています。田丸さんはネガティブな結末にするとき、どのようなことに気をつけていますか？

A．ショートショートにおけるネガティブな結末の作品はこれまでにも多く書かれてきたために、ネタやパターンがかなり出ていて、どうしても既視感のあるものになりやすいと言えます。また、誤解を恐れずに言えば、ショートショートの場合はネガティブな結末のほうがポジティブな結末に比べて書きやすい傾向にあるため、類似のアイデアに陥りやすいということもあります。

それでも、やはりできるだけ既視感のないものにせねば、と強く心がけていて、そのために、ぼくも日々、もがいています！

Q．主人公（語り手）はどのように決めていますか？

誰がその話を進めるかによって、かなり印象が違うような気がしますが、アイデアがおもしろければ、どんな主人公でもおもしろくなるものでしょうか？　それとも設定で違ってくるものでしょうか？

A．ご指摘の通り、アイデアが同じでも、誰を主人公にするかで印象はずいぶん変わります。

ぼくの場合は、アイデアを最大限活かすための語り手を模索して、自分なりに、これだという人物を設定していますが、そのとき、あまり特殊な立場の人にはせず、身近にいそうな人物にすることが多いです。ただ、もちろんアイデア次第で特定の職業に就いている人にしたり、個性の強いキャラを設定したりもします。

Q. 登場人物のキャラの濃さは、どのように加減していますか？

ショートショートの場合、人物を描きすぎると野暮（やぼ）ったくなる感じがしています。キャラを登場させるときに注意していることがあれば教えてください。

A. ショートショートでは、キャラを全面に出しすぎると軸となるアイデアがぼやけてしまう可能性があるため、さじ加減が難しいところです。そのうえで、ぼくがキャラを出すときに意識するのは、アイデアをより効果的に演出するためのキャラにする、アイデアにそったキャラにする、ということでしょうか。

ただし、アイデアとキャラは両立できないということではありませんし、キャラが全面に出てくる作品があっても当然いいと思いますので、ぜひいろいろと試してみてください。

Q. 物語に出てくる固有名詞はどのように決めていますか？

記号的な名詞を使うだけだと味気なくなり、逆に固有名詞ばかりだと、まとまりがなくなってしまうような気がします。そのあたりのさじ加減はあるものでしょうか？

A. ショートショートは物語自体が短いため、造語も含めてあまり固有名詞を入れすぎると、各々の固有名詞が持つイメージに引っ張られて、全体として散らかってしまう可能性が高くなります。だからといって、すべて記号的な名詞であったほうがいいかというと、印象がぼやける可能性があり、必ずしもそうとは限りません。さじ加減はとても難しく、それこそ答えはありませんが、物語を演出する上で最適であろうと思われる自分なりの着地点を考えつづけることが大切だと思います。

ちなみに、たとえば固有名詞を使えば、その固有名詞が背景に持つさまざまなイメージを借りてくることができますので、多くを書かずして物語に厚みや深みをもたせられる可能性があります。あるいは、固有名詞にはその一点に引きつけるような、その部分をピンでとめるような効果もありますので、強調したり注目したりしてほしいときに使うこともあります。説得力やリアリティーを生みだす効果もあったりします。

また、名前について言うと、たとえば主人公に名前をつける必要がある場合、その名前に引っ張られたいのか、引っ張られたくないのかによって、どんな名前（特徴的なのか、そうでないのか）にするかを考えることもあります。

ぜひ、固有名詞を使うことでどんな効果が狙えるのか、そしてその作品でどんな効果を出したいのかを考えてみてください。

Q. 執筆される際に大切にしていること、なるべく避けていることはありますか？

作品を書いていくにつれ、自分の中での芯のようなものがなければつづかないなと感じるようになりました。また、お題をもらって書くときには、どれくらい出題者の意図を汲もうとされるものなのでしょうか？

A. ぼくの心がけといいますか、執筆の動機のひとつは、自分の記憶や想いを物語の中に閉じ込めたい、ということです。ですので、自分が「閉じ込めたい！」と思ったものを書く、というのが、大切にしていることのひとつです。
それはお題のようなものがある場合も同じで、たしかに自作がお題の出題者に、ひいてはその先にいる読者の方にどう見えるだろうかということを意識しながら、意図的にデザインするところは大なり小なりあるわけですが、そんなときも、自分の大切にしている部分は譲らないようにしています。安易に妥協したり、忖度（そんたく）するようなことも絶対に避けているところですね。

Q．ショートショートの読解力はどのようにすれば上がりますか？

特にショートショートの場合、何らかのアイデアが含まれているという前提のせいか、お話の飛躍についていけず「読んでいて何のことだかよく分からない」「きっと作者の意図もまったく汲み取れていないのだろうな」と感じることがあります。なるべくなら視野を広く持ち、自分の中に取り込みたいので、読みにくいものも読解できるようになりたいのですが、コツなどがあれば教えてください。

A．これはひたすらいろんな作品を読みつづけて自己研鑽（けんさん）するしかない、ということに尽きますが、そのうえで、「読みにくい作品」と出合ったときにぼくがするのは、シンプルですが何度も読み返すということでしょうか。もしくは、何が自分の中で引っかかっているのかを分析してみて、「どうしたら読みやすくなるか」「自分だったらどう修正するか」を考えたりもします。その積み重ねではないかと思います。

Q．短時間で集中するために取り組んでいることはありますか？

アクティブに活動しつつ作品も多数執筆されていますが、集中するために何か具体的にしているアクションがあれば教えてください。

A．ぼくは、あえてルーティーンを設けない、という執筆スタイルの確立を目指してアマチュア時代の一時期に訓練したことがあり、いまではいつでもどこでも、少しでも時間があってパソコンが開ける場所であれば、電車の中でも駅のホームでも、自宅でもカフェでも、すっと執筆に入っていけるようになりました。

もともと勉強などは自宅でやる派で、外だと昔はいまいち集中できませんでした。ですが（これはあくまで自分の場合であることが前提ですが）、それだと弱いなと。逆に言うと、いつでもどこでも書けるようになっていれば隙間の時間で執筆できて、執筆以外のほかの活動にさく時間が確保できるなと思うに至り、そのための訓練を意識的にしていました。具体的には、実際に得意ではない環境にあえて身を置いて書いてみる、という行為の地道な繰り返しです。

あとは、これもルーティーンにすると逆に弱くなると考えているので「絶対」ではないのですが、気持ちがのらないときは、波音や焚火（たきび）の音など、いわゆる自然のヒーリング系の音源をBGMにして執筆することがあります。それでも気持ちがのらなくて、かつ、原稿を書きたい、または書かねばならないときは、集中度は少し下がるのですが、好きなアーティストの音楽を流して気持ちを高めて書いたりもします。

ただ、このあたりは自分の脳がどういう条件下でどういう働きをするか、それを自分なりに突き詰めていってたどりついた一例にすぎませんので、完全に田丸個人の脳の傾向、特徴に依存した方法です。ですので、ぜひご自身と向き合い、自分の脳をうまく導く方法を見定めてみてください。

おわりに

実際に超ショートショートを書いてみて、いかがでしたでしょうか。

中には作品が完成しても、「本当にこれで小説になっているのかな?」と不安に思われる人もいらっしゃるかと思いますが、大丈夫です。**1作を書き終えたことに、まずは自信をもってください。**これでみなさんも、立派なショートショート作家のタマゴです。1作だけに留まらず、これからもどんどん書きつづけてくださいね。

そして、できあがった作品は、ぜひ臆（おく）せずコンテストに応募したり、小説投稿サイトなどに投稿したりしてみてください。本書がきっかけとなり、ショートショートの輪が広がることを願ってやみません。

ぼくはよく、「**ショートショートに親しむことで、日常が彩られ、ひいては人生が豊**

かになりうる」と言っています。

たとえば、目の前に1杯のコーヒーがあったとき、普通に考えると、それは単なるコーヒー以上の何物でもありません。ですが、ショートショート的な視点でそれを見てみると、「もしかすると、コーヒーをのぞいたら別の世界が映っていたりしないだろうか？」「マドラーで混ぜてできた渦に巻き込まれたりしてしまうかも？」「中にサメが潜んでいたら？」などという空想が浮かんできます。つまり、**ショートショートに親しむことで、物事をひとつの視点からだけではなく、いろいろな視点から多角的にとらえられるようになっていき、それまでありふれていたはずのものが、途端に輝きはじめるのです。**

もちろん、「そんなことはありえない」と一笑に付すことは簡単です。ですが、日常に空想が紛れこむ――それって、なんだか楽しそうだと思いませんか？

加えて、本書でも触れたように、このショートショートで得られる力は仕事の面でも大いに役立つ可能性を秘めています。

その意味で、プロの小説家志望の人でなくとも、人生を彩ってくれる趣味として、ぜひ長くショートショートに親しんでほしいなと思います。

もしかすると、中には本書を読んでも、まだはじめの一歩をなかなか踏み出せないでいるという人もいらっしゃるかもしれません。そんな方は、ぜひ一度、各地で開催している講座などに遊びに来ていただければと思います。開催のお知らせは、随時、田丸雅智の公式サイトに掲載しています。単発の講座と定期講座がありますが、どちらも肩ひじ張らずに楽しむことを最優先にしていますので、いつでも気軽に、ふらっとお越しいただければうれしいです。

なお、この本で紹介した田丸式メソッドは、あくまでひとつの例です。ぼくも実際の執筆では、さまざまな方法を駆使して物語を考えます。機会があれば別の方法も紹介したいと思っていますし、みなさんにもこれを機に、ぜひ自分自身の創作法を開拓していってほしいと思います。

それでは、ショートショートのますますの発展を願いつつ。

本書を通じて、創作の楽しみを少しでも感じていただけたならば幸いです。

付録

ワークシート① 名詞を探す／名詞から思いつくものを書いてみる

①下の例を見ながら、いろいろな名詞を20個探して書いてください。
②その中から1つだけ名詞を選んで◯をつけ、その名詞から思いつくことを自由に10個書いてください。

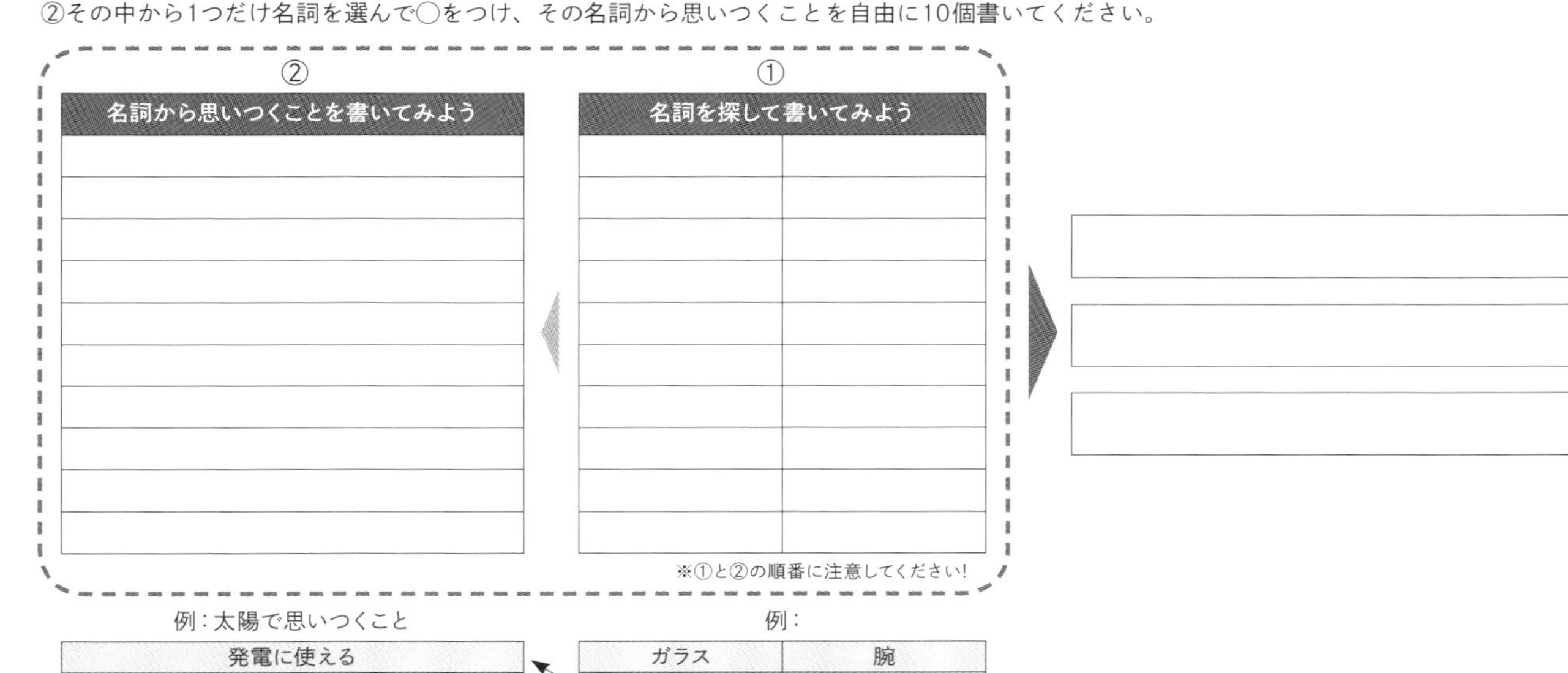

②

名詞から思いつくことを書いてみよう

①

名詞を探して書いてみよう	

※①と②の順番に注意してください!

例：太陽で思いつくこと

発電に使える
マグマみたい
皆既日食
ぽかぽかする
夕焼け

例：

ガラス	腕
粘土	タコ
太陽	水筒
冷蔵庫	傘
たんす	鏡

ワークシート② 不思議な言葉から想像を広げよう

◆選んだ言葉

◆それは、どんなモノですか？　説明してください。空いたスペースにイラストで描いてもOKです。

（8分）

◆それは、どこで、どんなときに、どんな良いことがありますか？

◆それは、どこで、どんなときに、どんな悪いこと、または左で書いたこと以外のどんなことがありますか？

◆上に書いたことをまとめてください。（出たもの全部を使わなくてもOKです）

（20分）

題名：＿＿＿＿＿＿＿＿＿＿

物語の筋を考えよう

それから？

それから？

それから？

それから？

物語の筋を考えよう～「発電生物」の場合

「発電生物」での例	作者の考え
友達のヒロキの家に遊びに行ったとき、ぼくはおかしな水槽を見つける。	出だしは、謎の水槽を出して読者が気になるようにしよう。
それから？	
でも、水槽のことを聞いてもヒロキはすぐには教えてくれず、なぜか電気ウナギの話をはじめる。	関係なさそうな電気ウナギの話を先に出して、水槽のなかのものを知りたい気持ちを高めよう。
それから？	
ぼくはヒロキから、電気ウナギの原理を聞く。	
それから？	
そしてヒロキから、電気ウナギを応用してつくられた新しい発電生物のことを聞く。ヒロキは新しい生き物の原理についても教えてくれる。	電気ウナギの話から電気タコの種明かしへと話を進めていこう。
それから？	
水槽のなかにその発電生物がいると聞いてのぞくが、何も見えない。	すぐには見つけられないという、もどかしさを少し入れよう。
それから？	
よく見ると、岩に色を変えているタコを見つけた。発電生物とは、じつは電気タコのことだった。	
それから？	
電気タコは足の先にコードがつなげるようになっていて、本物のタコ足配線になっていた。	これまで秘密にしていた電気タコのことを思う存分書いて、便利だなと思ってもらおう。
それから？	
ぼくは電気タコは便利だなと感じ、自分の家にもあったらいいなと思う。	
それから？	
でも、ヒロキから電気タコは電気を使いすぎると熱くなってしまうと聞く。じつは、1匹目はそれで真っ赤なゆでダコになって死んでしまっていた。	いったん便利なことしかないと思わせておいて、くすりと笑える意外なラストを用意しよう！

著者プロフィール

田丸雅智（たまる・まさとも）

1987年、愛媛県生まれ。東京大学工学部、同大学院工学系研究科卒。2011年、『物語のルミナリエ』に「桜」が掲載され作家デビュー。12年、樹立社ショートショートコンテストで「海酒」が最優秀賞受賞。「海酒」は、ピース・又吉直樹氏主演により短編映画化され、カンヌ国際映画祭などで上映された。坊っちゃん文学賞などにおいて審査員長を務め、また、全国各地でショートショートの書き方講座を開催するなど、現代ショートショートの旗手として幅広く活動している。17年には400字作品の投稿サイト「ショートショートガーデン」を立ち上げ、さらなる普及に努めている。著書に『海色の壜』『おとぎカンパニー』など多数。
田丸雅智公式サイト：http://masatomotamaru.com/

たった40分で誰でも必ず小説が書ける
超ショートショート講座　増補新装版

2020年4月19日　第1版　第1刷発行
2024年8月26日　　　　　第5刷発行

著者　田丸雅智
発行所　WAVE出版
〒102-0074 東京都千代田区九段南3-9-12
TEL 03-3261-3713　FAX 03-3261-3823
振替 00100-7-366376
E-mail: info@wave-publishers.co.jp
https://www.wave-publishers.co.jp
印刷・製本　株式会社シナノパブリッシングプレス

NDC816　159p　19cm　ISBN978-4-86621-291-3

ブックデザイン　長井究衡
協力　中垣理子、桑野陽路、難波豊丈、小狐裕介、大山徹